ぼくらの七日《なのか》間《かん》戦《せん》争《そう》

❸/3

宗田《そうだ》 理《おさむ》・作《さく》
はしもとしん・絵《え》

角川つばさ文庫
オンデマンドブックス

目次《もくじ》

❸/3

登場人物紹介《とうじょうじんぶつしょうかい》

菊地英治《きくちえいじ》

1年《ねん》2組《くみ》。

ぼくらシリーズ

の主人公《しゅじんこう》。

相原《あいはら》　徹《とおる》

1年《ねん》2組《くみ》。

両親《りょうしん》は塾《じゅく》を経営《けいえい》。

柿沼《かきぬま》直樹《なおき》

同《どう》。

産婦人科医院《さんふじんかいいん》の息子《むすこ》。

安永《やすなが》　宏《ひろし》

同《どう》。

大工《だいく》の息子《むすこ》で

けんかの達人《たつじん》。

天野《あまの》司郎《しろう》

同《どう》。

スポーツアナ志望《しぼう》。

日比野《ひびの》　朗《あきら》

同《どう》。

コック長《ちょう》。

料理《りょうり》が上手《うま》い。

中尾《なかお》和人《かずと》

同《どう》。

塾《じゅく》に行《い》かず、抜群《ばつぐん》の秀才《しゅうさい》。

谷本《たにもと》　聡《さとる》

同《どう》。

エレクトロニクスの天才《てんさい》。

宇野秀明《うのひであき》

同《どう》。

シマリスちゃん。

電車《でんしゃ》や路線《ろせん》に詳《くわ》しい。

佐竹哲郎《さたけてつろう》

同《どう》。

弟《おとうと》の俊郎《としろう》、

愛犬《あいけん》タローとともに

仲間《なかま》を助《たす》ける。

秋元《あきもと》尚《なお》也《や》

同《どう》。

絵《え》の天才《てんさい》。

中山《なかやま》ひとみ

同《どう》。

水泳《すいえい》中《ちゅう》学《がく》一《いち》の

美《び》少《しょう》女《じょ》。

橋口《はしぐち》純《じゅん》子《こ》

同《どう》。

中華《ちゅうか》料理《りょうり》屋《や》の長女《ちょうじょ》。

堀《ほり》場《ば》久《く》美《み》子《こ》

同《どう》。

スケ番《ばん》。

父《ちち》はＰＴＡ《ピーティーエー》会長《かいちょう》。

西脇《にしわき》由《ゆ》布《う》子《こ》

養《よう》護《ご》教《きょう》諭《ゆ》。

明《あか》るい美《び》人《じん》。

瀬《せ》川《がわ》卓蔵《たくぞう》

浮浪者風《ふろうしゃふう》の老人《ろうじん》。

最大《さいだい》の味方《みかた》。

五日《いつか》　迎撃《げいげき》

3

榎本《えのもと》、丹羽《にわ》、野沢《のざわ》、八代《やしろ》、酒井《さかい》の五人《ごにん》は、酒井《さかい》の運転《うんてん》する車《くるま》で解放区《かいほうく》へ向《む》かった。

着《つ》いたのは約束《やくそく》の午前十時《ごぜんじゅうじ》きっかりで、榎本《えのもと》、野沢《のざわ》、八代《やしろ》の三人《さんにん》が車《くるま》から出《で》ると、正門《せいもん》の前《まえ》に集《あつ》まっていた子《こ》どもたちが、いっせいに拍手《はくしゅ》した。

「君《きみ》たちは、こんなところで何《なに》をしてるんだ？」

野沢《のざわ》は、堀場久美子《ほりばくみこ》をつかまえて聞《き》いた。

「先生《せんせい》たちが、どんなかっこうで出《で》てくるか見学《けんがく》してるんじゃん」

久美子《くみこ》は、女子生徒《じょしせいと》と顔《かお》を見合《みあ》わせてにやにやしている。野沢《のざわ》は、いやな予感《よかん》がした。

突然《とつぜん》、正門《せいもん》の上《うえ》から幕《まく》がするするとおりてきた。

〝解放区《かいほうく》へようこそ〟

子《こ》どもたちの間《あいだ》から喚声《かんせい》が湧《わ》き上《あ》がった。

「では、入《はい》る順番《じゅんばん》をきめてくれよ」

見張《みは》り台《だい》の上《うえ》から声《こえ》がした。校長《こうちょう》に向《む》かって、くれよとはなんだ。榎本《えのもと》は頭《あたま》がかっとしたが、ここで怒《おこ》っては、すべてがゼロになってしまう。

「私《わたし》が一番《いちばん》だ」

と昂《たかぶ》る感情《かんじょう》を抑《おさ》えて言《い》った。

「次《つぎ》は私《わたし》だ」

と野沢《のざわ》。

「最後《さいご》は私《わたし》だ」

と八代《やしろ》が言《い》った。

「では、一番《いちばん》が入《はい》って二分《にふん》したら二番《にばん》。それからまた二分《にふん》したら三番《さんばん》というふうに入《はい》ってもらうぜ」

「わかった。早《はや》くあけたまえ」

榎本《えのもと》が言《い》ったとたん、通用門《つうようもん》がゆっくりと中《なか》へ開《ひら》いた。内部《ないぶ》は薄暗《うすぐら》い壁《かべ》が見《み》えるが、ためらわずに中《なか》へ入《はい》る。後《うし》ろで通用門《つうようもん》の閉《し》まる音《おと》がした。

人《ひと》がやっと通《とお》れるくらいの通路《つうろ》で、両側《りょうがわ》の壁《かべ》はトタンである。上《うえ》は吹《ふ》き抜《ぬ》けで青空《あおぞら》が見《み》える。
――迷路《めいろ》だな。
子《こ》どもたちのやりそうなことだ。突《つ》き当《あ》たりの壁《かべ》に標識《ひょうしき》が出《で》ている。
右《みぎ》　ジゴク
左《ひだり》　ゴクラク
迷《まよ》わず右《みぎ》に進《すす》む。道《みち》は行《い》き止《ど》まりになっていて、左《ひだり》に曲《ま》がる道《みち》と、その隣《となり》に思《おも》わせぶりなドアーがある。

迷路

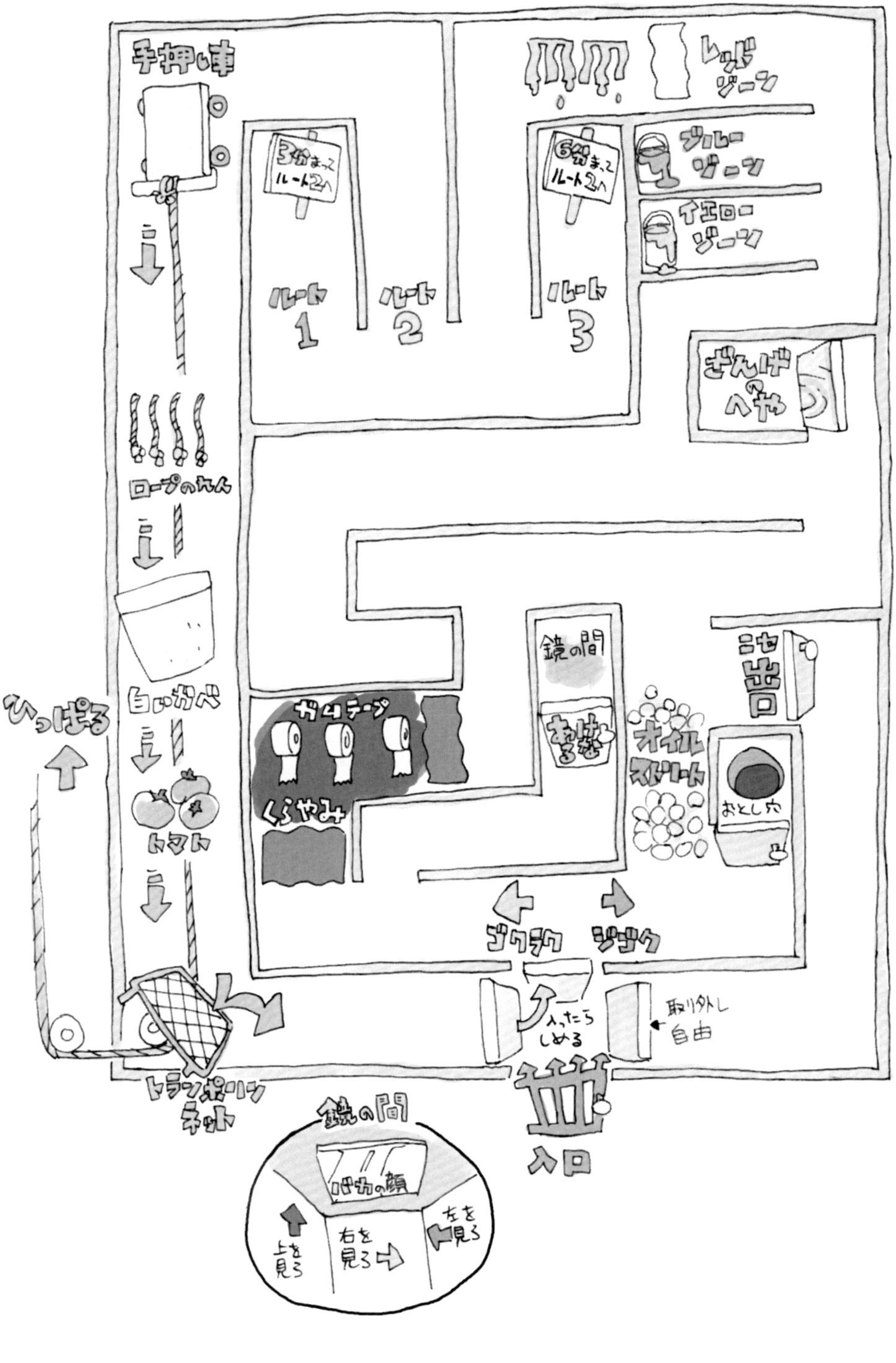

手押車
ロープのれん
白いかべ
トマト
トランポリンネット
ひっぱる
3分まって ルート2へ
6分まって ルート2へ
ルート1
ルート2
ルート3
レッドゾーン
ブルーゾーン
イエローゾーン
ざんげのへや
ガムテープ
くらやみ
鏡の間
あけるな
オイルストリート
ニセ出口
おとし穴
ゴクラク
ジゴク
入ったらしめる
取り外し自由
入口
鏡の間
バカの顔
上を見る
右を見る
左を見る

ふと、人《ひと》の気配《けはい》を感《かん》じて上《うえ》を見上《みあ》げた。下《した》をのぞいている子《こ》どもたちの顔《かお》が見《み》えた。このドアーには、きっと仕掛《しか》けがしてあるにちがいない。

榎本《えのもと》は、左《ひだり》に曲《ま》がる道《みち》を選《えら》んだ。壁《かべ》に、〝この先恐怖《さききょうふ》のオイル・ストリート〟と書《か》いてある。たしかに、少《すこ》し進《すす》むと拳大《こぶしだい》の石《いし》がごろごろ転《ころ》がっている。しかもそれが油《あぶら》まみれになっているので、足《あし》を乗《の》せるたびにすべる。

榎本《えのもと》は、数歩進《すうほすす》んだと思《おも》ったら、すべってしたたかに尾骶骨《びていこつ》を打《う》ちつけた。思《おも》わず、うめき声《ごえ》が出《で》た。

頭《あたま》の上《うえ》から、子《こ》どもたちの笑《わら》い声《ごえ》が聞《き》こえた。

「君《きみ》たちは、私《わたし》をどうするつもりなんだ?」

「早《はや》く出《で》てきてくれよ。おれたちは待《ま》ってるんだぜ」

榎本《えのもと》は、石《いし》の上《うえ》を四《よ》つ這《ば》いで進《すす》むことにした。こうなったら、ズボンの汚《よご》れを気《き》にしてはいられない。

石《いし》がなくなると、右《みぎ》に曲《ま》がる道《みち》があった。その先《さき》に出口《でぐち》とある。これでやっと出《で》られたのだ。ドアーを押《お》すと向《む》こう側《がわ》は通路《つうろ》である。

また、頭《あたま》の上《うえ》で笑《わら》い声《ごえ》がした。

ここで怒《おこ》ってはならない。冷静《れいせい》にだ。榎本《えのもと》は通《つう》路《ろ》をもときた方《ほう》へもどった。しばらく行《い》って右《みぎ》に曲《ま》がると、野沢《のざわ》が見《み》えた。

「君《きみ》は、どうしたんだ？」

「いま入《はい》ってきたところです。校長先生《こうちょうせんせい》こそどうなさったんですか?」

野沢《のざわ》は、榎本《えのもと》のズボンに目《め》をやりながら言《い》った。

「やられたよ。君《きみ》も気《き》をつけたまえ。ジゴクと書《か》いてあった方《ほう》へ行《い》ったらこの始末《しまつ》だ」

二人《ふたり》は、左《ひだり》へ進《すす》む。すぐ道《みち》は二《ふた》つに分《わ》かれている。

「私《わたし》はこっちへ行《い》く」

榎本《えのもと》は手前《てまえ》の道《みち》を右折《うせつ》する。少《すこ》し行《い》くと、こんどは左《ひだり》に曲《ま》がっている。正面《しょうめん》にドアーがあって、

〝あけるな〟と書《か》いてある。

どうしようかと思《おも》ったが、行《い》き止《ど》まりなのであけないわけにはいかない。おそるおそるドアーをあけると、目《め》の前《まえ》に〝右《みぎ》を見《み》ろ〟と書《か》いてある。右《みぎ》に目《め》をやると〝左《ひだり》を見《み》ろ〟とある。

榎本《えのもと》は、書《か》いてあるとおり、右《みぎ》から左《ひだり》に視線《しせん》を向《む》けた。すると〝上《うえ》を見《み》ろ〟とある。反射的《はんしゃてき》に上《うえ》を見《み》た。そこには鏡《かがみ》がはってあって、榎本《えのもと》の顔《かお》が映《うつ》っている。そして白《しろ》ペンキで、〝バカの顔《かお》〟

と書《か》いてある。

榎本《えのもと》は、舌打《したう》ちしながらもとの道《みち》をもどった。

こうなったら、野沢《のざわ》のあとを行《い》くしかない。真《ま》っ直《す》ぐ進《すす》むとカーテンがあった。あけると中《なか》は真《ま》っ暗《くら》である。榎本《えのもと》は、中《なか》へ入《はい》ってから、しばらくじっとしていた。

何《なに》も起《お》こらない。

一歩《いっぽ》ずつ、慎重《しんちょう》に前《まえ》へ進《すす》む。突然《とつぜん》、右《みぎ》の頬《ほお》に変《へん》なものがはりついた。

――ガムテープだ。

榎本《えのもと》はむしりとった。頬《ほお》がひりひりする。こんどは頭《あたま》にはりついた。これはガムテープよりもっと大《おお》きいものだ。無理《むり》してはがしたら、残《のこ》り少《すく》ない毛《け》が抜《ぬ》けてしまいそうだ。

そのままにして、手《て》さぐりで前《まえ》へ進《すす》む。ガムテープがノレンみたいにぶら下《さ》がっていて、歩《ある》くたびに、顔《かお》といわず肩《かた》といわず、べたべたとはりつく。

やっと、カーテンに突《つ》きあたって外《そと》へ出《で》る。明《あか》るさで目《め》が眩《くら》みそうだ。

そこに野沢《のざわ》がいて、顔《かお》から腕《うで》にかけて、はりついたガムテープを、丹念《たんねん》にはがしていた。

「校長先生《こうちょうせんせい》」

野沢《のざわ》が言《い》ったとたん、頭《あたま》の上《うえ》で子《こ》どもたちの笑《わら》い声《ごえ》が聞《き》こえてきた。

「このクソガキ！」

野沢《のざわ》は、声《こえ》に向《む》かってどなった。

そこを出《で》て右《みぎ》に進《すす》む。不思議《ふしぎ》に何《なに》ごともおこらない。と思《おも》ったとき、頭《あたま》からびしょ濡《ぬ》れの八代《やしろ》に出会《であ》った。

「君《きみ》は、どの道《みち》をきたんだ？」

野沢《のざわ》が聞《き》いた。

「私《わたし》はジゴクと書《か》いた方《ほう》に行《い》きました。すると、突《つ》き当《あ》たった左《ひだり》にドアーがありました。あけて入《はい》ったら落《お》とし穴《あな》で、下《した》は水溜《みずたま》りでした。まったく、ひどいもんです」

いつもおしゃれな八代《やしろ》だが、こうなると見《み》られ

たものではない。榎本《えのもと》は、自分《じぶん》のことは忘《わす》れてお
かしくなった。
「とにかく進《すす》もう。これしきのことでへこたれて
は、奴《やつ》らになめられる」
榎本《えのもと》は先頭《せんとう》に立《た》つと、道《みち》が二《ふた》つに分《わ》かれるとこ
ろで、
「私《わたし》はこちらに行《い》く」
と奥《おく》へ進《すす》んだ。道《みち》は左《ひだり》に曲《ま》がっている。奥《おく》は行《い》き
止《ど》まりになっているのだが、正面《しょうめん》に貼《は》り紙《がみ》がして

ある。何《なに》が書《か》いてあるのか、興味《きょうみ》があったので奥《おく》へ進《すす》んだ。とたんに、うしろで大《おお》きい音《おと》がした。ふりかえってみると、入口《いりぐち》に板《いた》が落《お》ちて閉《と》じこめられてしまった。もどって押《お》してみたがびくともしない。

榎本《えのもと》はしかたなく貼《は》り紙《がみ》の文字《もじ》を読《よ》んだ。

ここは　ざんげのへやです
神《かみ》の声《こえ》に正直《しょうじき》に答《こた》え

わるかったとざんげすれば　出《で》ることができます
もし反省《はんせい》しなければ　永久《えいきゅう》にここから出《で》ることはできません

神《かみ》の声《こえ》とはいったいなんのことだ。あたりを見《み》まわすと、ボール紙《がみ》でつくった、メガフォンみたいなものが、壁《かべ》の上部《じょうぶ》に取《と》りつけてあった。

「私《わたし》は神《かみ》だ」

メガフォンから、くぐもった声《こえ》が聞《き》こえた。

「ふざけるんじゃない。そんな神《かみ》さまがあるか」

榎本《えのもと》は、吹《ふ》き出《だ》したいのと、腹立《はらだ》たしいのがミックスした。とたんに、頭《あたま》の上《うえ》から、水《みず》がざっと落《お》ちてきた。

「お前《まえ》は、セン公《こう》たちを校門《こうもん》にならべ、生徒《せいと》の服《ふく》装点検《そうてんけん》をさせて、スカートの丈《たけ》を物差《ものさ》しではかり、靴下《くつした》に模様《もよう》があると言《い》ってはなぐらせる。もう二学期《にがっき》からしませんと言《い》うか?」

「言《い》わん。服装《ふくそう》はすべての基本《きほん》だ。服装《ふくそう》が乱《みだ》れれば心《こころ》も乱《みだ》れて非行《ひこう》になるのだ」

また、頭《あたま》の上《うえ》から水《みず》が落《お》ちてきた。

「朝《あさ》うんこしてこいというのはどうだ？　そんなにうまくいかないときだってあるぜ。そう言《い》ったら、お前《まえ》はその生徒《せいと》を校長室《こうちょうしつ》に引《ひ》っ張《ぱ》りこんで、なぐったじゃないか」

「朝《あさ》うんこするというのは、そういう習慣《しゅうかん》をつけると、からだが健康《けんこう》になって気持《きも》ちいい。だれのためでもない。君《きみ》たちのためだ」
「おれたちはセン公《こう》に、うんこの面倒《めんどう》まで見《み》ても
らいたかねえよ」
榎本《えのもと》が口《くち》を開《ひら》こうとしたとき、また水《みず》である。
すでに、からだの芯《しん》までぐしょ濡《ぬ》れであった。
「お前《まえ》は、学校《がっこう》の廊下《ろうか》は右側《みぎがわ》を静《しず》かに歩《ある》け。曲《ま》が
り角《かど》では一時停止《いちじていし》して、左右《さゆう》を見《み》てから直角《ちょっかく》に曲《ま》
がれという。ガキじゃあるまいし、こんなばかば
かしいことはすぐやめさせろ。廊下《ろうか》は、おれたち

の解放区《かいほうく》なんだ」

「廊下《ろうか》を正《ただ》しく歩《ある》くことが、道路《どうろ》を正《ただ》しく歩《ある》くことにつながるんだ。私《わたし》は、君《きみ》たちのことを考《かんが》えてやっていることを、もう少《すこ》しわかってもらいたい」

「なんでもお前《まえ》たちのためか……。それでは、お前《まえ》は以上《いじょう》のことをまったく反省《はんせい》しないというのだな」

「私《わたし》は信念《しんねん》を持《も》ってやっているんだ」

言《い》ったとたん、立《た》っていた床《ゆか》が二《ふた》つに割《わ》れて下《した》へ落《お》ちた。乗《の》っていた板《いた》にひもがついていて、両《りょう》側《がわ》から引《ひ》っ張《ぱ》ったのだ。そこにはドラム缶《かん》が埋《う》まっており、上《うえ》から落《お》ちた水《みず》が膝《ひざ》まで溜《た》まっていた。

「お前《まえ》は救《すく》いがたい男《おとこ》だから、コンクリート詰《づ》めにして荒川《あらかわ》に捨《す》ててしまうことにする」

にやにやと笑《わら》いながら見下《みお》ろしている子《こ》どもたちの顔《かお》を見上《みあ》げたとたん、榎本《えのもと》は、突然《とつぜん》恐怖《きょうふ》をおぼえた。この連中《れんちゅう》なら、そのくらいのことなら、平気《へいき》でやりかねないという気《き》がしてきた。

「ちょっと待《ま》ってくれ。私《わたし》には妻《つま》も子《こ》どももいる。殺《ころ》すのはひどいじゃないか」

「では、ざんげしますと言《い》うんだな」

こんなところで、筋《すじ》を通《とお》そうとする必要《ひつよう》はない。とにかく、なんとかごまかしてここを出《で》ることだ。

「私《わたし》がわるかった。これから気《き》をつける」

「神《かみ》さまに対《たい》して、そういう言《い》い方《かた》はないだろう。もっと心《こころ》から言《い》え」

「私《わたし》がわるうございました。これから生徒《せいと》たちのことを考《かんが》えますから、どうか、ここから出《だ》してください」

言《い》い終《お》わると、入口《いりぐち》の板《いた》がするすると上《うえ》に上《あ》がった。やはり、子《こ》どもは単純《たんじゅん》なものだ。榎本《えのもと》は、ドラム缶《かん》から這《は》い上《あ》がって通路《つうろ》に出《で》た。真《ま》っ直《す》ぐ行《い》って、左《ひだり》へ曲《ま》がると行《い》き止《ど》まりだった。もどって、こんどは左《ひだり》へ曲《ま》がる。ここも行《い》き止《ど》まりだ。

その先《さき》を左《ひだり》へ曲《ま》がり、右《みぎ》へ曲《ま》がると、全身《ぜんしん》を黄《き》色《いろ》く染《そ》めた八代《やしろ》と、青《あお》く染《そ》めた野沢《のざわ》が立《た》っていた。

「道《みち》はこの先《さき》しかありません。校長先生《こうちょうせんせい》を待《ま》っていました」

「ひどい目《め》に遭《あ》ったよ」

自分《じぶん》がざんげをさせられたことは言《い》わなかった。

「君《きみ》たちのその姿《すがた》はどうしたんだ？」

「ブルーゾーンというところへ行《い》ったら、この有《あり》様《さま》です。ペンキをぶっかけられました。ひどいものです」

野沢《のざわ》が言《い》った。

「私《わたし》はイエローゾーンへ行《い》ったんですが、どちらも行《い》き止《ど》まりでした。残《のこ》るのはレッドゾーンですが、ここは通《とお》り抜《ぬ》けられるはずです」

八代《やしろ》を見《み》ていると、まるで黄色《きいろ》い人形《にんぎょう》が口《くち》を利《き》いているような不気味《ぶきみ》さがある。

「よし、では私《わたし》が先頭《せんとう》で行《い》こう」

こうなったら、破《やぶ》れかぶれだと榎本《えのもと》は思《おも》った。

レッドゾーンと壁《かべ》に書《か》かれた通路《つうろ》を進《すす》む。すこし行《い》くと白《しろ》いカーテンが下《さ》がっている。それをくぐり抜《ぬ》けると、前方《ぜんぽう》に赤《あか》いすだれみたいなものが見《み》えた。

「行《い》くしかないな」

榎本《えのもと》は二人《ふたり》の手前《てまえ》躊躇《ちゅうちょ》はできぬと覚悟《かくご》をきめた。赤《あか》いすだれを両手《りょうて》でわけて、中《なか》へからだを入《い》れた。

それは、赤《あか》いペンキを塗《ぬ》ったビニールひもだった。顔《かお》と手《て》、からだがたちまち赤《あか》くなる。かまわず進《すす》む、前方《ぜんぽう》にまた赤《あか》いすだれがあった。走《はし》るようにして通《とお》り抜《ぬ》けた。

つづいて二人《ふたり》がやってきた。野沢《のざわ》は青《あお》に赤《あか》、八代《やしろ》は黄色《きいろ》に赤《あか》。前衛芸術《ぜんえいげいじゅつ》の彫刻《ちょうこく》でも見《み》るような感《かん》じだ。

左《ひだり》に曲《ま》がって直進《ちょくしん》すると、正面《しょうめん》の壁《かべ》に1、2、3と番号《ばんごう》が書《か》いてある。道《みち》が三つあるということだろう。

「野沢君《のざわくん》は1の道《みち》を行《い》きたまえ。私《わたし》は2、八代君《やしろくん》は3だ」

榎本《えのもと》は、当《あ》てずっぽうに言《い》って2の道《みち》を進《すす》む。左《ひだり》に曲《ま》がって少《すこ》し行《い》くと、突《つ》き当《あ》たりに手押《てお》し車《ぐるま》みたいなものがあって、〝座《すわ》れ〟と書《か》いてある。

ここまできたら、なるようにしかならない。榎本《えのもと》は手押《てお》し車《ぐるま》に腰《こし》をおろした。とたんにそれは動《うご》き出《だ》した。速度《そくど》は次第《しだい》にあがってゆく。

前方《ぜんぽう》に、太《ふと》いロープのノレンが見《み》えた。それにまともに突《つ》っこんだ。ロープが顔《かお》をひっぱたいた。目《め》から火花《ひばな》が出《で》た。

手押《てお》し車《ぐるま》は、先端《せんたん》にロープがついていて、それを通路《つうろ》の前方《ぜんぽう》から引《ひ》っ張《ぱ》っているらしい。速度《そくど》はますますあがる。目《め》の前《まえ》に白《しろ》い壁《かべ》が見《み》えてきた。

——ぶつかる！

榎本《えのもと》は顔《かお》を伏《ふ》せた。ぶつかった。意外《いがい》にやわらかいショックだ。発泡《はっぽう》スチロールだったのだ。

ほっとして顔《かお》を上《あ》げたとたん、赤《あか》い玉《たま》がいくつも迫《せま》ってきた。よける間《ま》もなく顔《かお》にぶつかった。ぐしゃっ、鈍《にぶ》い音《おと》がして、一瞬《いっしゅん》、目《め》が見《み》えなくなった。

榎本《えのもと》は、そっと顔《かお》に手《て》をやった。ぬるりとした感触《かんしょく》。色《いろ》は真《ま》っ赤《か》だ。

——血《ち》！　やられた。

これはたいへんなことになった。何《なに》かしなければいけない。何《なに》かとは、なんだ……？　考《かんが》えようとするが頭《あたま》が働《はたら》かない。

次《つぎ》の瞬間《しゅんかん》、榎本《えのもと》はからだごとネットにぶつかった。はねとばされて通路《つうろ》にころげたとき、トランポリン用《よう》のネットが置《お》いてあったことに気《き》づいた。

通路《つうろ》の向《む》こうに出口《でぐち》が見《み》えた。ようやく出《で》ることができるのだ。榎本《えのもと》は、よろめきながら出口《でぐち》に向《む》かった。

――出《で》た。

目《め》の前《まえ》に人《ひと》の顔《かお》があった。

「校長先生《こうちょうせんせい》！　どうなさいました」

丹羽《にわ》が顔《かお》をひきつらせた。榎本《えのもと》は、重傷《じゅうしょう》だなと思《おも》った。すると急《きゅう》に意《い》識《しき》が薄《うす》れた。倒《たお》れかかるのを酒井《さかい》が受《う》けとめた。

「しっかりしてください。傷《きず》は浅《あさ》いです」

――気休《きやす》めを言《い》うな。

榎本《えのもと》は顔《かお》を撫《な》でた。ぬるりとしたものが口《くち》の中《なか》に入《はい》った。血《ち》とは、少《すこ》し味《あじ》がちがう気《き》がした。もう一度《いちど》味《あじ》わってみる。

紛《まぎ》れもないトマトの味《あじ》がした。

4

「私《わたし》、どうしても往診《おうしん》に行《い》かなければなりません。

もし犯人《はんにん》から電話《でんわ》がありましたら、ここへ電話《でんわ》していただけませんか」

柿沼靖樹《かきぬまやすき》は、十一時《じゅういちじ》になるのを待《ま》って、杉崎《すぎざき》警部《けいぶ》にそう言《い》うと、電話番号《でんわばんごう》を書《か》いたメモをわたした。

「こんなときに往診《おうしん》ですか……」

杉崎《すぎざき》は、明《あき》らかに不満《ふまん》そうな顔《かお》をした。

「古《ふる》くからの友人《ゆうじん》で、奥《おく》さんの具合《ぐあい》がよくないから診《み》にきてくれと言《い》うんです。誘拐《ゆうかい》の事実《じじつ》を言《い》うわけにいかないものですから」

古《ふる》くからの友人《ゆうじん》がいるのは事実《じじつ》だが、奥《おく》さんの病気《びょうき》はでたらめである。もし警察《けいさつ》から電話《でんわ》があったら、適当《てきとう》に答《こた》えておいてくれと、さっき頼《たの》んでおいたのだ。

「いいでしょう。何《なに》かあったら連絡《れんらく》します。なるべく早《はや》く帰《かえ》ってきてくださいよ」

杉崎《すぎざき》は、靖樹《やすき》の言《い》うことをまったく疑《うたが》ってないみたいに見《み》える。

千七百万円《せんななひゃくまんえん》を詰《つ》めた往診《おうしん》かばんを手《て》にすると表《おもて》へ出《で》た。四、五十《しごじゅう》メートルほど歩《ある》くとメインストリートに出《で》る。ゆっくり歩《ある》いた。タクシーはすぐにやってきたので、乗《の》り込《こ》むと「銀座《ぎんざ》」と言《い》った。

動《うご》き出《だ》してから、ちらと後《うし》ろをふりかえって見《み》たが、つけてくる車《くるま》らしいものはない。

こんなうそに騙《だま》されるなんて、警察《けいさつ》もずいぶん間《ま》が抜《ぬ》けている。これで、まかせておけとはよく言《い》ったものだ。やはり、最後《さいご》は親《おや》がやらなければだめだ。

犯人《はんにん》と勝手《かって》に取《と》り引《ひ》きしたことがあとでわかれば、連中《れんちゅう》はメンツをつぶされたことで怒《おこ》るだろうが、それも息子《むすこ》の命《いのち》がかかっているのだ。当然《とうぜん》ではないか……。靖樹《やすき》は、自分《じぶん》の行動《こうどう》を勝手《かって》に正当《せいとう》化《か》した。

銀座《ぎんざ》でタクシーを降《お》りると、M《エム》デパートに入《はい》った。直樹《なおき》のカセットテープでは、一階《いっかい》にかばん売《うり》場《ば》があるということだった。案内《あんない》の女性《じょせい》に聞《き》いてみると、店《みせ》の一角《いっかく》をおしえてくれた。M《エム》社製《しゃせい》の、一万円《いちまんえん》の黒《くろ》いアタッシェケースもすぐわかった。靖樹《やすき》はそれを買《か》うと、トイレに入《はい》って千七百万《せんななひゃくまん》円《えん》を、往診《おうしん》かばんから、アタッシェケースに移《うつ》しかえた。

そこから、築地《つきじ》のT《ティー》ホテルまでは距離《きょり》にして五〇〇《ごひゃく》メートルほどだ。まだ約束《やくそく》の一時《いちじ》まで一時《いちじ》間二十分《かんにじっぷん》もある。ぶらぶら歩《ある》いて、昼食《ちゅうしょく》はホテルですることにした。

しかし、いざ食事《しょくじ》しようとすると、さすがに何《なに》も食《た》べる気《き》がしなかった。コーヒーだけで時間《じかん》をつぶし、約束《やくそく》の一時《いちじ》より十分前《じっぷんまえ》にロビーにおりて、ソファーに腰《こし》をおろした。

それとなくあたりを見《み》まわしたが、怪《あや》しげな人物《じんぶつ》は見当《みあ》たらない。時計《とけい》の進《すす》み方《かた》がやけにのろい。

一時《いちじ》。

靖樹《やすき》は、あたりを見《み》まわした。そして、それがむだな行為《こうい》であることを悟《さと》った。こっちは犯人《はんにん》の顔《かお》を知《し》らないのだ。一時《いちじ》の電話《でんわ》を待《ま》つしかないではないか。

栗原《くりはら》さんにお電話《でんわ》ですとボーイが言《い》っている。最初《さいしょ》は聞《き》き逃《のが》したが、すぐに自分《じぶん》のことだと気《き》づいた。

近《ちか》くの電話機《でんわき》のところまで行《い》き、受話器《じゅわき》を耳《みみ》にあてた。

「柿沼《かきぬま》ですが……」

「そこから右《みぎ》の方《ほう》を見《み》てみろ。壁《かべ》のところに赤電《あかでん》話《わ》が並《なら》んでいるだろう。そこへ行《い》って、×××の××××へ電話《でんわ》しろ」

「わかりました。×××の××××ですね」

柿沼《かきぬま》は番号《ばんごう》をメモした。

「そうだ。コールサインが三度鳴《さんどな》ったら、受話器《じゅわき》を耳《みみ》にあてたままロビーの方《ほう》を見《み》ろ。すると男《おとこ》が手《て》をあげる」

「はい。受話器《じゅわき》を耳《みみ》にあてたままですね？」

「そうだ。それが合図《あいず》だ。そうしたら、すぐにアタッシェケースを持《も》ってそこを出《で》ろ」

「どこへ行《い》くんですか？」

「隅田川《すみだがわ》に向《む》かって道路《どうろ》の右側《みぎがわ》を歩《ある》け。六《ろく》、七百《ななひゃく》メートルで勝鬨橋《かちどきばし》に出《で》る」

「知《し》っています」

「勝鬨橋《かちどきばし》のちょうど真《ま》ん中《なか》まで行《い》ったら、アタッシェケースを川《かわ》に落《お》とせ」

「川《かわ》に落《お》とすんですか？　お金《かね》が濡《ぬ》れちゃいます

よ」

「お前《まえ》がそんなことを心配《しんぱい》する必要《ひつよう》はない。投《な》げ終《お》わったら家《いえ》に帰《かえ》っていい」

「直樹《なおき》は、直樹《なおき》はどうなるんですか？」

「家《いえ》に帰《かえ》れば、息子《むすこ》から電話《でんわ》がある。もう解放《かいほう》したのだから、あとは親子《おやこ》で好《す》きにするがいい」

「絶対《ぜったい》まちがいないですね。お金《かね》をわたしたら殺《ころ》すなんてことないでしょうね」

「くどい。早《はや》く電話《でんわ》しろ」

靖樹《やすき》は、慌《あわ》てて受話器《じゅわき》をおろした。

靖樹《やすき》を尾行《びこう》してきたのは、遠山《とおやま》と松本《まつもと》の二人《ふたり》の刑事《けいじ》である。遠山《とおやま》は警視庁《けいしちょう》捜査一課《そうさいっか》からやってきたベテランで、年齢《ねんれい》は四十歳《よんじゅっさい》。松本《まつもと》は所轄署《しょかつしょ》の駆《か》け出《だ》しで二十五歳《にじゅうごさい》である。往診《おうしん》に行《い》くと言《い》いながらこんなところにやってきた。やはり、杉崎《すぎざき》の予感《よかん》は的中《てきちゅう》したのだ。

「おい、立《た》ったぞ」

ロビーの片隅《かたすみ》から靖樹《やすき》を見張《みは》っていた遠山《とおやま》は、靖樹《やすき》が立《た》ち上《あ》がるのを見《み》て松本《まつもと》に言《い》った。松本《まつもと》は、さりげなく靖樹《やすき》のあとを追《お》った。

遠山《とおやま》のところからだと、靖樹《やすき》が電話《でんわ》している姿《すがた》が見《み》えた。栗原《くりはら》という呼《よ》び出《だ》しは、犯人《はんにん》との打《う》ち合《あ》わせの名前《なまえ》であるということにやっと気《き》づいた。

電話《でんわ》は、二《に》、三分《さんぷん》で終《お》わって靖樹《やすき》がどこかへ行《い》く。これは松本《まつもと》が見張《みは》っているはずだ。

と思《おも》ったとき、靖樹《やすき》がロビーの方《ほう》をうかがっている姿《すがた》が見《み》えた。犯人《はんにん》は、二人《ふたり》が尾行《びこう》していることに気《き》づいて、靖樹《やすき》に注意《ちゅうい》しろと言《い》ったのか……。

靖樹《やすき》はすぐに首《くび》をひっこめた。松本《まつもと》が足早《あしばや》にもどってきた。

「出《で》ますよ」

耳《みみ》もとにそう言《い》い残《のこ》して、松本《まつもと》は一足先《ひとあしさき》にホテルを出《で》て行《い》った。そのあとに靖樹《やすき》がつづく。手《て》には往診《おうしん》かばんとアタッシェケースを持《も》っている。

家《いえ》を出《で》たときは往診《おうしん》かばんだけで、途中《とちゅう》でアタッシェケースを買《か》った。おそらく、ホテルのどこかで、身代金《みのしろきん》をアタッシェケースに移《うつ》しかえたとしか考《かんが》えられない。

遠山《とおやま》は、靖樹《やすき》がホテルから出《で》るのを待《ま》って外《そと》へ出《で》た。靖樹《やすき》は、晴海《はるみ》方面《ほうめん》に向《む》かって、右側《みぎがわ》の歩《ほ》道《どう》を歩《ある》いている。その五《ご》メートルほどうしろを松《まつ》本《もと》が尾行《びこう》している。

遠山《とおやま》は交差点《こうさてん》まできたとき、道路《どうろ》の反対側《はんたいがわ》にわたった。犯人《はんにん》も、おそらく靖樹《やすき》の動《うご》きを見張《みは》っているはずだ。いったい、どこで奪《うば》うつもりなのか。道幅《みちはば》は広《ひろ》いけれども、靖樹《やすき》と松本《まつもと》の動《うご》きは手《て》にとるようにわかる。

二《に》、三百《さんびゃく》メートルも歩《ある》いたとき、遠山《とおやま》は突然《とつぜん》閃《ひらめ》いた。目《め》の前《まえ》の電話《でんわ》ボックスに飛《と》びこんで、柿《かき》沼《ぬま》の家《いえ》にいる杉崎《すぎざき》に電話《でんわ》した。

「いま柿沼《かきぬま》は、晴海通《はるみどお》りを歩《ある》いています。どうやら受《う》け渡《わた》しは川《かわ》のようです。至急《しきゅう》、水上署《すいじょうしょ》からボートを、勝鬨橋《かちどきばし》にまわしてくれるよう、言《い》っていただけませんか」

「わかった」

遠山《とおやま》は、これまでの尾行《びこう》の経緯《いきさつ》を簡単《かんたん》に説明《せつめい》して電話《でんわ》を切《き》った。

二人《ふたり》は、すでにかなり先《さき》へ行《い》っている。遠山《とおやま》は、小走《こばし》りで追《お》いかけた。勝鬨橋《かちどきばし》はもう目《め》の前《まえ》である。

この橋《はし》の上《うえ》から、身代金《みのしろきん》を落《お》とすという遠山《とおやま》の勘《かん》がもしはずれたら……。そのときはそのときだ。

橋《はし》のたもとまできて、靖樹《やすき》の足《あし》がおそくなった。真《ま》ん中《なか》までやってくると止《と》まった。下《した》を見下《みお》ろしている。

——やはり勘《かん》はあたった。

遠山《とおやま》も、反対側《はんたいがわ》の欄干《らんかん》にもたれて下《した》をのぞいた。怪《あや》しいボートみたいなものはどこにも見当《みあ》たらない。

ふたたび靖樹《やすき》の方《ほう》に視線《しせん》を向《む》けたとき、遠山《とおやま》の目《め》のはしをかすめて、何《なに》かが落下《らっか》した。見《み》ると、いままで気《き》づかなかったが、浮浪者《ふろうしゃ》らしい男《おとこ》が去《さ》るところだった。

おそらく、ごみでも捨《す》てたにちがいない。

靖樹《やすき》が、アタッシェケースを欄干《らんかん》に乗《の》せた。周《しゅう》囲《い》をちらと見《み》てから、それを川《かわ》に落《お》とした。

遠山《とおやま》は、もう一度《いちど》川《かわ》に目《め》をやった。犯人《はんにん》は、どこかから必《かなら》ずあらわれるはずなのに、川上《かわかみ》から近《ちか》づくボートはない。

靖樹《やすき》は、あとも見《み》ずに、いまきた道《みち》をもどって行《い》く。橋《はし》を過《す》ぎたところでタクシーをひろった。

それを見届《みとど》けて、遠山《とおやま》は橋《はし》の反対側《はんたいがわ》にわたった。橋《はし》の真《ま》ん中《なか》に松本《まつもと》が立《た》って、川《かわ》を見下《みお》ろしている。

「あれです」

下《した》を指《ゆび》さした。まちがいない。靖樹《やすき》が持《も》っていた黒《くろ》のアタッシェケースだ。

「犯人《はんにん》はどこからあらわれるんですか？」

松本《まつもと》が苛立《いらだ》たしげに言《い》った。

「わからん」

「放《ほう》っといたら沈《しず》んじゃいますよ」

「そんなことは犯人《はんにん》に言《い》え」

遠山《とおやま》は思《おも》わずどなってしまってから、おそらく、東京湾《とうきょうわん》に出《で》たら、モーターボートか何《なに》かがあらわれて、アタッシェケースを拾《ひろ》いあげて、逃走《とうそう》するつもりだと思《おも》った。しかし、それまであのかばんが、沈《しず》まずにもつだろうか。

水上署《すいじょうしょ》のボートはまだ姿《すがた》をあらわさない。

「あれ、あれを見《み》てください」

耳《みみ》のはたで、松本《まつもと》のどなる声《こえ》が聞《き》こえた。松本《まつもと》は、橋《はし》の真下《ました》を指《ゆび》さしている。

「柿沼《かきぬま》が投《な》げたのと同《おな》じアタッシェケースですよ」

遠山《とおやま》の目《め》は、橋《はし》の下《した》からあらわれたアタッシェケースに釘《くぎ》づけになった。

「これは、どういうことですか?」

——そうか。

さっき、遠山《とおやま》の脇《わき》にいた浮浪者《ふろうしゃ》が何《なに》か落《お》とした
が、あれがそうだったのか。
遠山《とおやま》は、振《ふ》り向《む》いて浮浪者《ふろうしゃ》を捜《さが》したが、影《かげ》も形《かたち》
もない。
「いちいちおれに聞《き》くな。犯人《はんにん》じゃないんだから、
わかるわけがないだろう」
近《ちか》ごろの若《わか》い奴《やつ》ときたら、あたえられた問題《もんだい》し
か解《と》けない。こういうのが偏差値人間《へんさちにんげん》というん
だ。

遠《とお》くに、水上署《すいじょうしょ》のボートが見《み》えた。遠山《とおやま》は、連絡《れんらく》しようとトランシーバーを手《て》にした。

そのとき、二《ふた》つのアタッシェケースが、突然《とつぜん》大音響《だいおんきょう》とともに爆発《ばくはつ》した。激《はげ》しい水柱《みずばしら》があがり、それがおさまると、水面《すいめん》には細《こま》かい浮遊物《ふゆうぶつ》が散《さん》乱《らん》しているばかりだった。

砂利《じゃり》を積《つ》んだ荷船《にぶね》がゆっくりと川《かわ》を上《のぼ》ってきて、その浮遊物《ふゆうぶつ》をかきまわした。長《なが》い航跡《こうせき》がようやく消《き》えると、あとには、何事《なにごと》もなかったような黒《くろ》く汚《よご》れた川面《かわも》にもどっていた。

「どうして、かばんが二《ふた》つなんだ?」

遠山《とおやま》は、橋《はし》の下《した》までやってきた水上署《すいじょうしょ》のボートに、連絡《れんらく》するのも忘《わす》れてつぶやいた。

「どうして、身代金《みのしろきん》が爆発《ばくはつ》しちまったんです?」

松本《まつもと》も同《おな》じようにつぶやいた。

「おい、ベンツがやってきたぞ。柿沼《かきぬま》んちのじゃねえか?」

天野《あまの》が見張《みは》り台《だい》からどなった。

「そうかもしれねえ」

柿沼《かきぬま》はゆっくりと見張《みは》り台《だい》に上《のぼ》った。首《くび》だけ出《だ》して下《した》をのぞくと、ベンツが止《と》まって、靖樹《やすき》と奈《な》津子《つこ》がおりてくるところだった。

「直《なお》ちゃん」

奈津子《なつこ》は、柿沼《かきぬま》の顔《かお》を見《み》ると、喉《のど》の奥《おく》からしぼり出《だ》したような声《こえ》で言《い》った。

「直樹《なおき》、無事《ぶじ》だったか?」

靖樹《やすき》がつづいて言《い》った。ベンツから、もう一人《ひとり》ごつい感《かん》じの男《おとこ》が出《で》てきた。ポリ公《こう》だなと柿沼《かきぬま》は直感《ちょっかん》した。

「うん。このとおりぴんぴんさ」

柿沼《かきぬま》は、両手《りょうて》をふってみせた。

「犯人《はんにん》は、いつ解放《かいほう》してくれました？　私《わたし》は杉崎《すぎざき》警部《けいぶ》です」

「一時《いちじ》だよ」

「一時《いちじ》ですか？　まちがいありませんね」

「まちがいないさ。ぼく時計《とけい》持《も》っているもん」

「どうして、すぐ家《いえ》に帰《かえ》ってこなかったのよ？」

奈津子《なつこ》はうらめしそうに言《い》った。

「だって、家《いえ》へ帰《かえ》ったらここへ来《こ》れなくなるじゃん。みんなを裏切《うらぎ》りたくなかったからさ」

「誘拐《ゆうかい》されたんだもの、特別《とくべつ》よ」

杉崎《すぎざき》は、「まあ、まあ」と奈津子《なつこ》を押《お》しとどめてから、

「君《きみ》が誘拐《ゆうかい》されたのはどこだったかい？」

「堤防《ていぼう》の上《うえ》だよ」

「そのとき、だれかいたかい？」

「ううん。横《よこ》に車《くるま》が停《と》まったと思《おも》ったら、ドアーがあいて、中《なか》へ引《ひ》っ張《ぱ》り込《こ》まれちゃったんだよ」

「男《おとこ》は何人《なんにん》いた？」

「運転《うんてん》していたのと、座席《ざせき》に一人《ひとり》」

「顔《かお》はどんなだった？」

「引《ひ》っ張《ぱ》り込《こ》まれたとたん、頭《あたま》から袋《ふくろ》をかぶせられたんだ」

「監禁《かんきん》された場所《ばしょ》は？」

「車《くるま》で四十分《よんじっぷん》くらい行《い》ったところだよ」

「そこで、犯人《はんにん》の顔《かお》を見《み》ただろう？」

「いつも目《め》と鼻《はな》と口《くち》だけが出《で》てるスキー用《よう》のマスクをしていたから顔《かお》はわからなかったけれど、プロレスラーみたいな大男《おおおとこ》だったよ」

「二人《ふたり》ともかい？」

「運転手《うんてんしゅ》はチビだった。でも、いつもいるのは大《おお》男一人《おとこひとり》だったよ」

「最後《さいご》は、どこで解放《かいほう》してくれた？」

「中学《ちゅうがく》だよ。車《くるま》が停《と》まったかと思《おも》うと、いきなり放《ほう》り出《だ》されたんだ。そこで目隠《めかく》しを取《と》ったら、中学《ちゅうがく》だったんだよ」

「犯人《はんにん》は、なぜ解放《かいほう》するか、理由《りゆう》は言《い》った？」

「言《い》ったよ。産婦人科医《さんふじんかい》というのは、子《こ》どもをまるでゴキブリみたいに殺《ころ》す悪魔《あくま》だって。だから、神《かみ》にかわってやっつけたんだってさ」

「そいつ、うちの患者《かんじゃ》だったのか？」

靖樹《やすき》が聞《き》いた。

「ううん。うちとは全然関係《ぜんぜんかんけい》ないんだって。産婦《さんふ》人科医《じんかい》だったら、だれでもよかったみたい」

靖樹《やすき》は、歯《は》を食《く》いしばってうなった。

「じゃ、お金《かね》は？」

「お金《かね》がほしくてやるんじゃないから、お前《まえ》のおやじがお金《かね》を持《も》ってきたら、全部捨《ぜんぶす》てちまううんだって言《い》ってたよ」

「そいつ、頭《あたま》の調子《ちょうし》がおかしいんじゃないのか？」

「そういえば、そうかもしれないな。こんなこと言《い》ってたよ」

「どんなことだい？」

杉崎《すぎざき》は頬《ほお》を緊張《きんちょう》させた。

「ぼくたちが、あんな奴《やつ》いない方《ほう》がいいなと思《おも》っている人間《にんげん》がいたら、そいつの名前《なまえ》を書《か》いた紙《かみ》をN橋《エヌはし》の欄干《らんかん》に貼《は》っておけってさ」

「そうしたらどうするって言《い》ってた？」

「そいつを消《け》してやるって」

柿沼《かきぬま》の奴《やつ》、調子《ちょうし》に乗《の》って、打《う》ち合《あ》わせにないことまで言《い》っている。

「おい。ヤバイぞ」

英治《えいじ》は、柿沼《かきぬま》の耳《みみ》に囁《ささや》くのだが、まるで聞《き》こえないみたいだ。

「そいつは、まちがいなく精神異常者《せいしんいじょうしゃ》だ」

靖樹《やすき》が言《い》うと、杉崎《すぎざき》がうなずいた。

「あなたたち、まちがっても、そんな手紙《てがみ》を橋《はし》に貼《は》っちゃやだめよ」

奈津子《なつこ》の声《こえ》はふるえている。

「ぼくはやらないけど、だれかやる奴《やつ》がいるかもしれないよ」

「あなた、その話《はなし》みんなにしちゃったの?」

「そりゃ、したさ」

「どうしましょう」

奈津子《なつこ》は、靖樹《やすき》と杉崎《すぎざき》の顔《かお》を交互《こうご》に見《み》た。

「監禁《かんきん》されていた場所《ばしょ》だけれど、ふつうの部屋《へや》だったのか、それとも……」

「下《した》はコンクリートで、とても広《ひろ》かったから、倉《そう》庫《こ》だったかもしれないよ」

「何《なに》か音《おと》は聞《き》こえなかったかい？」

「全然《ぜんぜん》」

「においは？　たとえば油《あぶら》とかゴムとか、肉《にく》とか野菜《やさい》とか……」

「何《なに》かにおいはしてたけど、思《おも》い出《だ》せないなあ」

「もう少《すこ》しくわしく聞《き》きたいんだけれど、そこを出《で》てきてもらうわけにはいかないかなあ」

杉崎《すぎざき》は、ポリ公《こう》にしてはひどく低姿勢《ていしせい》だ。

「それはだめだね。ぼくはやっと解放区《かいほうく》にこれたんだもん」

「でもねえ、そういう犯人《はんにん》は早《はや》くつかまえないと、また、どんなわるいことをするかもしれないわよ」

奈津子《なつこ》が、なんとか説得《せっとく》しようとしている様《さま》が、手《て》にとるようにわかる。

「そいつ言《い》ってたよ。わるい奴《やつ》しかやらないって」

「だって、あなたを監禁《かんきん》したじゃないの？」

「だから、ぼくを解放《かいほう》するとき、ほんとは、おやじをやりたかったんだ。わるかったたって謝《あやま》ってたよ」

「きょうのところはこれで帰《かえ》ろう。直樹《なおき》の無事《ぶじ》な姿《すがた》さえ見《み》ればいいじゃないか」

靖樹《やすき》が言《い》うと、奈津子《なつこ》はうなずいた。

「困《こま》りますなあ。犯人逮捕《はんにんたいほ》にもう少《すこ》し協力《きょうりょく》していただかないと」

杉崎《すぎざき》は不満《ふまん》そうだったが、二人《ふたり》が自動車《じどうしゃ》に乗《の》りこんでしまったので、

「坊《ぼう》や、また聞《き》きにくるからね、そのときおしえてくれよ」

と言《い》った。

「いいよ。じゃバイバイ」

柿沼《かきぬま》は、杉崎《すぎざき》に向《む》かって手《て》を振《ふ》った。車《くるま》は走《はし》り去《さ》った。

「行《い》っちゃったぜ」

英治《えいじ》と柿沼《かきぬま》は、見張《みは》り台《だい》からおりた。みんなが柿沼《かきぬま》に拍手《はくしゅ》をおくった。

「柿沼《かきぬま》、お前《まえ》の演技《えんぎ》うまかったぜ。あれなら、だれだって犯人《はんにん》はプロレスラーみたいな大男《おおおとこ》で、頭《あたま》のちょっとおかしい奴《やつ》と思《おも》っちゃうぜ」

安永《やすなが》が、いかにも感心《かんしん》したふうに言《い》った。

「考《かんが》えてたわけじゃないんだけど、うそが自然《しぜん》に出《で》てきちゃったんだよ」

「そこがすげえんだよな。お前《まえ》ペテン師《し》になれるぜ」

「だけどさあ、かばんを二《ふた》つ流《なが》したのは、ちょっとやり過《す》ぎだったんじゃねえかなぁ」

宇野《うの》が心配《しんぱい》そうな顔《かお》をした。

「いいってことよ。おとなってのは、あれで頭《あたま》がますます混乱《こんらん》する。いまごろ、なぜかっていっしょうけんめい考《かんが》えてるだろう。だけどこの問題《もんだい》には答《こた》えがないんだから、いくら考《かんが》えたって時間《じかん》のむださ」

中尾《なかお》は唇《くちびる》をほころばせながら言《い》った。

「問題《もんだい》ってのは、出《だ》されるより出《だ》す方《ほう》がおもしろいな」

秋元《あきもと》が言《い》った。秋元《あきもと》の通知表《つうちひょう》は、美術《びじゅつ》だけが5で、あとは全部《ぜんぶ》2である。

「かばんを爆発《ばくはつ》させる必要《ひつよう》はあったのかな」

吉村《よしむら》が首《くび》をかしげた。

「爆発《ばくはつ》させなきゃ、きっと警察《けいさつ》にひろわれる。そうすると千七百万円《せんななひゃくまんえん》が抜《ぬ》かれていることがわかっちゃうじゃねえか。千七百万円《せんななひゃくまんえん》がなくなったと思《おも》わせるには、どうしても爆発《ばくはつ》させなきゃならなかったんだ」

中尾《なかお》の論理《ろんり》は明快《めいかい》である。

「それより、谷本《たにもと》はすごいぜ。ちゃんと時限装置《じげんそうち》で花火《はなび》の火薬《かやく》を爆発《ばくはつ》させたんだからな。もし爆《ばく》発《はっ》しなかったらどうなるか……。それを考《かんが》えると、ひやひやだったぜ」

「こういうことを考《かんが》えるんじゃねえかな？　柿沼《かきぬま》のおやじは、かばんの中《なか》に身代金《みのしろきん》を入《い》れただけだ。それを川《かわ》に投《な》げたら爆発《ばくはつ》したとなると、どこかで、爆弾《ばくだん》を仕掛《しか》けられたにちがいない」

吉村《よしむら》の推理《すいり》もまんざらではない。

「もちろん考《かんが》えるさ。やつらだってプロだからな。そうなると、かばんを手放《てばな》したのは、ホテルで電《でん》話《わ》したときしかない……」

「ちょっと待《ま》ってくれ」

瀬川《せがわ》が口《くち》をはさんだ。

「あのとき、柿沼《かきぬま》のおやじさんがかばんから手《て》を離《はな》して、ロビーの方《ほう》を見《み》た時間《じかん》は三秒《さんびょう》か四秒《よんびょう》だ。

その間《あいだ》に、わしは隣《となり》の電話機《でんわき》のところにいて、同《おな》じかばんとすりかえたんだ。まさか、すりかえられたとは思《おも》わんだろう」

このアイディアを考《かんが》えるのには、ずいぶん時《じ》間《かん》をかけた。実行《じっこう》してもらうのは瀬川《せがわ》しかいない。最初《さいしょ》は、スリのまねはできないとごねたのだが、みんなで頼《たの》みこんで、やっと承諾《しょうだく》してもらったのだ。

「かばんをすりかえるとき、刑事《けいじ》には見《み》られなかっただろうね」

英治《えいじ》が聞《き》いた。

「お前《まえ》さん、わしを見《み》くびっちゃいかん。こう見《み》えてもわしは、戦場《せんじょう》で弾丸《だんがん》の雨《あめ》をくぐり抜《ぬ》けてきたんだ。いざとなりゃ度胸《どきょう》はすわるさ。刑事《けいじ》には絶対見《ぜったいみ》られておらん」

瀬川《せがわ》は自尊心《じそんしん》を傷《きず》つけられたせいか、少《すこ》しばかり不機嫌《ふきげん》になった。

「わしは、ホテルのトイレで身代金《みのしろきん》と爆弾《ばくだん》を入《い》れかえたのだ。それから、浮浪者《ふろうしゃ》をつかまえて、二千円《にせんえん》やってかばんを勝鬨橋《かちどきばし》から投《な》げこませた。たとえ警察《けいさつ》が浮浪者《ふろうしゃ》を見《み》つけたとしても、わしを捜《さが》すことはできん」

「それに、一時《いちじ》という時間《じかん》には、犯人《はんにん》は柿沼《かきぬま》といっしょにいたことになってるんだ。これじゃホテルに行《い》けるわけないだろう」

中尾《なかお》の言《い》うとおりだ。

「よし、ではもう心配《しんぱい》することはない。ジュースで乾杯《かんぱい》しようぜ」

相原《あいはら》が言《い》うと、みんなの前《まえ》に缶《かん》のジュースが配《くば》られた。缶《かん》を合《あ》わせた。

「乾杯《かんぱい》」

「みなさん、ありがとうございました。おかげで、サラ金《きん》の借金《しゃっきん》は全部返《ぜんぶかえ》すことができます。この御《ご》恩《おん》は一生《いっしょう》忘《わす》れません」

田中《たなか》は、声《こえ》をつまらせて言《い》うと、一人一人《ひとりひとり》に向《む》かってお辞儀《じぎ》をつづけた。

「おっさん、頭《あたま》を下《さ》げるのはよしてくんないかな。みんな困《こま》ってるぜ」

「相原《あいはら》の言《い》うとおりさ。おっさんの借金《しゃっきん》はこれでなくなった。サラ金《きん》から追《お》っかけられる心配《しんぱい》はない」

「まるで夢《ゆめ》みたいです」

「ちょっと待《ま》って。おれだって、おやじをやっつけることができてせいせいしてるんだ。みんなだって、探偵《たんてい》ごっこができてたのしかったろう?」

柿沼《かきぬま》が、からりとした顔《かお》で言《い》った。

「楽《たの》しかったぜ。だけど、ちょっとパンチがきつ過《す》ぎたかな」

安永《やすなが》が、すまなそうな顔《かお》をした。

「とんでもない。私《わたし》は、もっともっとなぐられなければ気《き》が済《す》みません。坊《ぼ》っちゃんにガムテープをはったり、しばったりしたんですから。ほんとうにわるかったと思《おも》います」

「もういいってこと。おっさん、これからどうするんだ？」

「大阪《おおさか》へ行《い》って、ゼロから出直《でなお》したいと思《おも》っています」

「そうか。じゃ、これでお別《わか》れだね」

柿沼《かきぬま》は、ちょっと淋《さび》しそうな顔《かお》をした。

「おねがいがあるんですが、もう一晩《ひとばん》だけここに泊《と》めていただけないでしょうか？」

「それはいいけど、なぜだい？」

相原《あいはら》が聞《き》いた。

「屋上《おくじょう》の仕掛《しか》け花火《はなび》を見《み》たんですが、あれでは、火《ひ》をつけてもうまく字《じ》になりません。私《わたし》に手直《てなお》しさせていただけませんか？」

「おっさん、花火《はなび》のこと知《し》ってんのか？」

立石《たていし》が聞《き》いた。

「ええ、田舎《いなか》にいた頃《ころ》、祭《まつり》で仕掛《しか》け花火《はなび》を出《だ》すとき手伝《てつだ》っていましたので……」

「そいつはありがてえや。ほんとのことというと、うまくいくかどうか、自信《じしん》がなかったんだ」

立石《たていし》は、ぺろりと舌《した》を出《だ》した。

「こいつ……」

安永《やすなが》はなぐるまねをした。

「あしたは、すばらしい花火《はなび》を見《み》せられるぜ。テレビにもおしえてやった方《ほう》がいいんじゃねえのかな」

立石《たていし》の声《こえ》もはずんでいる。

「そうだな。そうしようぜ」

英治《えいじ》は、相原《あいはら》の顔《かお》を見《み》た。相原《あいはら》が大《おお》きくうなずいた。

六日《むいか》　総攻撃《そうこうげき》

1

午前六時《ごぜんろくじ》。
テレビも見《み》ないし、勉強《べんきょう》もしない夜《よる》が五日《いつか》つづいた。
電気《でんき》もテレビもないのだから、自然《しぜん》にみんなと喋《しゃべ》り合《あ》うことになる。とくに、真《ま》っ暗《くら》というのは、何《なに》を言《い》っても恥《は》ずかしくないということがいい。

「菊地《きくち》は橋口《はしぐち》純子《じゅんこ》が好《す》きだ」とか、「おれは中山《なかやま》ひとみの方《ほう》がいい」とか、みんな勝手《かって》なことを言《い》い合《あ》った。

英治《えいじ》は、ほんとは西脇《にしわき》先生《せんせい》が好《す》きだと言《い》いたかったのだが、どうしても言《い》えないのがもどかしかった。

毎朝《まいあさ》、西脇《にしわき》が差《さ》し入《い》れを持《も》ってきてくれるのが、英治《えいじ》にとっては何《なに》よりの楽《たの》しみだった。これが、夏休《なつやす》み中《じゅう》つづけば、どんなにかいいと思《おも》う。料理《りょうり》はたいてい缶詰《かんづめ》で、順番《じゅんばん》ということになっているが、日比野《ひびの》がコック長《ちょう》で、いろいろとアドバイスする。もちろん、そのときつまみ食《ぐ》いは忘《わす》れない。

風呂《ふろ》はもちろんないから、昼間《ひるま》、消火栓《しょうかせん》の水《みず》を噴水《ふんすい》みたいにして、みんなすっ裸《ぱだか》になってかぶった。

洗濯《せんたく》は、工場《こうじょう》の隅《すみ》にころがっていたドラム缶《かん》を持《も》ってきて、その中《なか》に水《みず》と洗濯物《せんたくもの》と洗剤《せんざい》をいっしょくたに入《い》れ、二人《ふたり》で入《はい》って踏《ふ》むのだ。これでけっこうきれいになる。

固《かた》い床《ゆか》の上《うえ》で寝《ね》ることも、慣《な》れてしまえばなんともない。最初《さいしょ》は、夜《よる》になるとホームシックにかかっていた宇野《うの》も、おふくろや家《いえ》のことはすっかり忘《わす》れてしまったらしい。

それと、いつも一人《ひとり》ぼっちで、だれとも口《くち》を利《き》いたことのなかった小黒《おぐろ》が、すっかり明《あか》るくなり、おしゃべりになった。

不思議《ふしぎ》なことに、こんな生活《せいかつ》をしているのに、かぜをひいたり、腹《はら》が痛《いた》くなったりする者《もの》が一人《ひとり》もいなかった。

遊《あそ》びは、瀬川《せがわ》がおしえてくれた水雷艦長《すいらいかんちょう》、長《なが》馬《うま》、けり馬《うま》、石《いし》けりなどをやった。

その中《なか》で、とくにみんなが気《き》に入《い》ったのはけり馬《うま》である。

けり馬《うま》は、ジャンケンをやって、いちばん負《ま》けた者《もの》が胴《どう》、次《つぎ》に負《ま》けた者《もの》が頭《あたま》ときめる。ほかの仲《なか》間《ま》は乗《の》り手《て》である。

頭役《あたまやく》は立《た》って、胴《どう》は頭役《あたまやく》の腰《こし》にしがみつく。頭《あたま》役《やく》は両手《りょうて》で胴《どう》の目隠《めかく》しをして、どちらに進《すす》むかおしえる。胴役《どうやく》は、近《ちか》づいてきた者《もの》を足《あし》でけとばす。けとばされた者《もの》は胴《どう》になり、胴《どう》は頭《あたま》。頭《あたま》は乗《の》り手《て》になれる。

乗《の》り手《て》は、胴《どう》にけられないようにしてとび乗《の》る。

胴《どう》がつぶれたら、その組《くみ》でいつまでもつづけなければならない。だから頭《あたま》も胴《どう》も必死《ひっし》だ。

こういう男《おとこ》っぽい遊《あそ》びは、危《あぶ》ないからといっていままでやったことがなかった。それだけに、やってみると新鮮《しんせん》で楽《たの》しい。

「西脇先生《にしわきせんせい》がきたぞ」

見張《みは》り台《だい》の上《うえ》の中丸《なかまる》がどなった。

「やったあ」

毎朝《まいあさ》、西脇《にしわき》の定期便《ていきびん》がくるたびに、全員《ぜんいん》が浮《う》き浮《う》きした気分《きぶん》になり、活気《かっき》がみなぎってくるから不思議《ふしぎ》だ。英治《えいじ》は、柿沼《かきぬま》を押《お》し上《あ》げるようにして見張《みは》り台《だい》に上《のぼ》った。

「柿沼君《かきぬまくん》、元気《げんき》そうね」

西脇《にしわき》の皓《しろ》い歯《は》がきれいだ。

「元気《げんき》でーす。きのうはどうもありがとう」

「きょうの新聞《しんぶん》に、柿沼君《かきぬまくん》の誘拐《ゆうかい》のことがいっぱい出《で》てるわよ」

そういえば、きのう柿沼《かきぬま》の両親《りょうしん》が帰《かえ》ってから、テレビや新聞記者《しんぶんきしゃ》が何人《なんにん》もやってきた。そのたびに柿沼《かきぬま》は、見張《みは》り台《だい》に立《た》ってインタビューに応《おう》じた。

「犯人《はんにん》のこと、なんて書《か》いてあった？」

英治《えいじ》は、それにいちばん関心《かんしん》があった。

「からだのがっしりした、精神異常者《せいしんいじょうしゃ》じゃないかって……。君《きみ》たちもよく言《い》うわね」

「そうか、先生《せんせい》は知《し》ってたんだよな」

「知《し》ってたじゃないわよ、倉庫《そうこ》の中《なか》にころがされてたなんて。おとなたちはみんな信用《しんよう》してるわよ」

「子《こ》どもは、うそをつかないもんな」

「呆《あき》れたわ。かばんに爆弾仕掛《ばくだんしか》けたのもあなたたちでしょう？」

「そうだよ」

「どうして、そんなぶっそうなことしたの？」

「お金《かね》をばらばらにしたかったのさ」

「わからないわね」

西脇《にしわき》は首《くび》をひねった。

「あとで、先生《せんせい》には真相《しんそう》をおしえるよ」

「どうでもいいけど、あなたたちやったわね。見《み》直《なお》しちゃった」

「おれたちがやったと言《い》えないところが残念《ざんねん》なんだ」

「どうして言《い》えないの？」

「それも、あとでね」

「気《き》を持《も》たせるわね。ロープおろしなさいよ」

「OK《オーケー》。けさの献立《こんだ》ては何《なに》？」

英治《えいじ》は、ロープを垂《た》らしながら聞《き》いた。

「ミックスサンドにオレンジジュース。数《かず》が多《おお》いんだから、これで我慢《がまん》しなさい」

英治《えいじ》はふり向《む》いて、

「おーい、ミックスサンドだぞ」

とどなった。広場《ひろば》にいた連中《れんちゅう》は、歓声《かんせい》をあげて塀《へい》に飛《と》びつくと、頭《あたま》を出《だ》した。

「先生《せんせい》お早《はよ》う」

「お早《はよ》う。あなたたち、いつまで続《つづ》けるつもり。こんなことしてたら、私《わたし》のボーナスみんな消《き》えちゃうわよ」

「いいって、いいって。そのかわり、いいおむこさん探《さが》してあげるから……」

「あなたたち、いくつだと思《おも》ってるの？」

「十二歳《じゅうにさい》と十三歳《じゅうさんさい》さ。だけど先生《せんせい》、わるい男《おとこ》と結《けっ》婚《こん》したら、一生《いっしょう》泣《な》きを見《み》ることになるんだぜ」

西脇《にしわき》が吹《ふ》き出《だ》した。

「マジに聞《き》いてくれよ。先生《せんせい》のためを思《おも》って言《い》ってんだからな」

安永《やすなが》は、ほっぺたをふくらました。

「ありがとう」

西脇《にしわき》は優《やさ》しい声《こえ》で言《い》った。安永《やすなが》も、英治《えいじ》と同《おな》じことを考《かんが》えているのだろうか。そう思《おも》うと、英治《えいじ》は少《すこ》しばかり嫉《や》けてきた。

「先生《せんせい》、こんやの八時《はちじ》、河川敷《かせんしき》の花火大会《はなびたいかい》にきてくんないかな」

安永《やすなが》が言《い》った。

「いいわよ。だけど、どうして？」

「先生《せんせい》に見《み》せたいものがあるのさ。この屋上《おくじょう》から絶対目《ぜったいめ》を離《はな》しちゃだめだぜ」

「いったい何《なに》をやるっていうの？」

「花火《はなび》を出《だ》すんだよ」

「花火《はなび》？」

「そうさ。先生《せんせい》へのおれたちのメッセージさ」

英治《えいじ》が言《い》った。

「だめよ。危《あぶ》ないわよ」

「危《あぶ》なかねえさ。こっちにはプロがいるんだぜ」

「あなたたち、おとなをあまく見過《みす》ぎてるわよ」

「あまくなんか見《み》てねえよ。奴《やつ》らはおれたちの敵《てき》なんだから」

「花火《はなび》なんか出《だ》したら、そこを潰《つぶ》すきっかけをあたえるようなもんじゃないの」

「それがこっちの作戦《さくせん》さ」

「本気《ほんき》で戦《たたか》うつもりなの？」

「いけないか？」

「何《なに》がいけないかよ。けがしたらどうするの？」

「戦争《せんそう》だから、けがぐらいしかたないよ」

「だめ、おねがいだからやめて」

「先生《せんせい》、そんなにおれたちが心配《しんぱい》？」

「心配《しんぱい》よ。きまってるじゃない」

「優《やさ》しいんだな」

「ばかね。無茶《むちゃ》しちゃだめよ」

西脇《にしわき》は、車《くるま》に乗《の》ると行《い》ってしまった。英治《えいじ》は本《ほん》気《き》で言《い》ったのに、先生《せんせい》はふざけて言《い》ったと思《おも》ったらしい。それが、ちょっぴり口惜《くや》しかった。

午前七時《ごぜんしちじ》。

「お早《はよ》う。これから解放区放送《かいほうくほうそう》をはじめるぜ。みんな、もう起《お》きてるだろうな。おれたちは電気《でんき》のないところにいるから、毎日《まいにち》お日様《ひさま》といっしょに起《お》きてるんだぜ。夏《なつ》は朝《あさ》がいちばんだ。まだ寝《ね》ぼけてる奴《やつ》は、早《はや》く水《みず》で顔《かお》を洗《あら》ってこい」

六日目《むいかめ》になると、相原《あいはら》のアナウンスもすっかり板《いた》についてきた。

「さて……と、きょうは、みんなに喜《よろこ》んでもらいたいことがある。そう言《い》えば、頭《あたま》のいい君《きみ》たちにはツーカーとわかると思《おも》うけど。そうなんだ。柿《かき》沼《ぬま》が帰《かえ》ってきたんだ。その詳細《しょうさい》については、朝刊《ちょうかん》を読《よ》んでくれたまえ。では、柿沼《かきぬま》の声《こえ》を聞《き》かせることにしよう」

「お早《はよ》う。ぼく柿沼《かきぬま》です。みんなに心配《しんぱい》かけてわるかったな。でも、ぴんぴんして帰《かえ》ってきたぜ。君《きみ》たち、誘拐犯人《ゆうかいはんにん》を見《み》たことあるか？　もちろんないだろうな。ところが、おれはこの目《め》でちゃんと見《み》たんだ。顔《かお》はマスクしてたからわからなかったけど、すげえでっかい男《おとこ》だった。まるでプロレスラーみたいだったぜ。だからこっちはおとなしくしてたよ。戦《たたか》っても勝《か》ち目《め》はないもんな。そいつは、ひどいことはしなかったけど、もう人《ひと》質《じち》になるのはごめんだな。

おれがどうして誘拐《ゆうかい》されるなんてドジなことをやってしまったか、そいつを聞《き》きたいんだろう？　わかってるよ。ほんとは、おれの恥《はじ》になるから言《い》いたかねえけど、参考《さんこう》のために話《はな》すから、よく聞《き》いてくれ。

あの日《ひ》は終業式《しゅうぎょうしき》だった。通知表《つうちひょう》をもらったら、あまりの成績《せいせき》のよさに、ウハウハしながら校門《こうもん》を出《で》た。こんなこと言《い》っても信用《しんよう》する奴《やつ》はいないと思《おも》うけど。

おれは、荒川《あらかわ》でちょっと時間《じかん》をつぶしてから堤《てい》防《ぼう》に出《で》た。そうしたら、車《くるま》がさっと脇《わき》に寄《よ》って来《き》て、中《なか》へ引《ひ》っ張《ぱ》り込《こ》まれちゃったんだ。それから頭《あたま》に袋《ふくろ》をかぶせられた。まったく、あっという間《ま》の出来事《できごと》で、これでは、だれだってやられると思《おも》うぜ。みんなも、変《へん》な車《くるま》が近《ちか》づいて来《き》たら気《き》をつけた方《ほう》がいい。じゃあ、バイバイ」

柿沼《かきぬま》は、男《おとこ》の顔《かお》を見《み》ていないと言《い》った手前《てまえ》、きのう杉崎《すぎざき》にでたらめな話《はなし》をでっちあげたのだ。

ほんとうは、学校《がっこう》の帰《かえ》りS駅《エスえき》の近《ちか》くの本屋《ほんや》でマンガを立《た》ち読《よ》みして外《そと》へ出《で》た。すると男《おとこ》がそばに寄《よ》ってきて『お前《まえ》、いま本《ほん》を万引《まんび》きしたろう?』と言《い》う。『じょうだんでしょう。万引《まんび》きなんかしません』

いくらなんでも万引《まんび》きはひどい。かっとなって言《い》った。すると男《おとこ》は、『おれは刑事《けいじ》だ。そういう弁解《べんかい》は警察《けいさつ》に来《き》てから言《い》え』と言《い》って、無理矢理《むりやり》車《くるま》に乗《の》せられたというのが真相《しんそう》なのだ。

それにしても、警察《けいさつ》と言《い》われただけで、こんなにも簡単《かんたん》にだまされたことは、柿沼《かきぬま》にとっては一生《いっしょう》の不覚《ふかく》であった。

「それは、お前《まえ》がポリ公《こう》とかセン公《こう》は、マジでうそをつかないおとなだと思《おも》いこんでいたからさ。おとなというやつは、親《おや》はもちろん、総理大臣《そうりだいじん》だって信用《しんよう》しちゃいけねえ」

柿沼《かきぬま》の話《はなし》を聞《き》いたとき瀬川《せがわ》は、そう言《い》って柿沼《かきぬま》をたしなめたものだった。

柿沼《かきぬま》は、マイクを相原《あいはら》にかえした。

「みんな。おとなってのは何《なに》をやるかしれねえから、気《き》をつけようぜ。それからお知《し》らせを一つ。こんや六時半《じはん》からの解放区放送《かいほうくほうそう》は、絶対聞《ぜったいき》き逃《のが》さないでくれよ。おじいさんもおばあさんも、お父《とう》さんもお母《かあ》さんも、君《きみ》たちも全員聞《ぜんいんき》いてもらいたいんだ。実況生放送《じっきょうなまほうそう》だから、期待《きたい》してもらっていいぜ。

放送《ほうそう》を聞《き》き終《お》わったら花火《はなび》を見《み》にきてくれよ。

こんやの花火大会《はなびたいかい》には、おれたちも参加《さんか》するから、ぜひ解放区《かいほうく》を注目《ちゅうもく》してくれたまえ。じゃ、朝《あさ》の解放区放送《かいほうくほうそう》はこれで終《お》わり。バイバイ」

相原《あいはら》はスイッチを切《き》ると、「屋上《おくじょう》に行《い》こうか。柿沼《かきぬま》もこいよ」と言《い》った。

柿沼《かきぬま》が屋上《おくじょう》に上《あ》がるのははじめてである。柿沼《かきぬま》は空《そら》を見上《みあ》げて大《おお》きく伸《の》びをした。毎日天気《まいにちてんき》がつづいて、青《あお》い空《そら》に白《しろ》い雲《くも》が一《ひと》つ、ぽっかりと浮《う》いている。

「これが例《れい》の仕《し》掛《か》け花火《はなび》か？」

柿沼《かきぬま》は、ビニールシートですっぽり蔽《おお》った仕《し》掛《か》けの枠《わく》を見《み》て言《い》った。

「そうさ」

「ずいぶんでかいもんだな」

「こんやは、みんなおどろくぜ」

「ちゃんと字《じ》になるんだろうな？」

「田中《たなか》のおっさんが大丈夫《だいじょうぶ》だって言《い》ってたから心配《しんぱい》ねえよ」

『こちらナンバー35、聞《き》こえますか?』
相原《あいはら》のトランシーバーが鳴《な》り出《だ》した。
「ナンバー1、感度良好《かんどりょうこう》。どうぞ」
英治《えいじ》は、川《かわ》の見《み》える側《がわ》に柿沼《かきぬま》を引《ひ》っ張《ぱ》って行《い》った。堀場久美子《ほりばくみこ》の姿《すがた》が小《ちい》さく見《み》えた。
柿沼《かきぬま》は、手《て》でメガフォンをつくって「ヤッホー」と言《い》った。
『ナンバー6の様子《ようす》をどうぞ』
相原《あいはら》は、トランシーバーを柿沼《かきぬま》にわたした。

「お前話《まえはな》せよ」

「こちらナンバー6。このとおり元気《げんき》だぜ」

柿沼《かきぬま》は、左手《ひだりて》を大《おお》きく振《ふ》った。

『けさの新聞《しんぶん》に派手《はで》に出《で》てたよ。犯人《はんにん》は、プロレスラーみたいな大男《おおおとこ》だってさ。笑《わら》っちゃったよ』

「おかしいと思《おも》ってる奴《やつ》いるか？」

『いないよ。いまごろでっかい男《おとこ》を捜《さが》してるんじゃないかな』

「そいつは、いい暇《ひま》つぶしになるぜ。ところで、こんやの放送《ほうそう》は大丈夫《だいじょうぶ》だな？」

相原《あいはら》が話《はな》しかけた。

『バッチシ。まかしといて。六時半《ろくじはん》の実況《じっきょう》は絶対《ぜったい》成功《せいこう》させるよ』

「それを聞《き》いて安心《あんしん》したぜ」

『そっちはいいんだけど……』

久美子《くみこ》は声《こえ》を曇《くも》らせた。

「なんだ？」

『おとなたちがだいぶかりかりきてるよ』

「迷路《めいろ》か？」

『あれで、校長《こうちょう》も相当頭《そうとうあたま》にきたらしいよ。うちのおやじと電話《でんわ》で話《はな》してるの盗聴《とうちょう》したんだけど、覚《かく》悟《ご》をきめたってさ』

「覚悟《かくご》ってなんだ？」

『ポリ公《こう》に頼《たの》むことだよ』

「それじゃ、こんや放送《ほうそう》したら、あしたは攻《せ》めてくるかもしれねえな」

『やるよ。きっと』

「くるときまったら連絡《れんらく》してくれよ。こっちもやることがあるからな」

『わかってるよ』

「じゃ、頼《たの》んだぜ」

相原《あいはら》は、トランシーバーをオフにした。

「こんやが最後《さいご》になるかもしれねえぜ」

「うん」

英治《えいじ》は相原《あいはら》と目《め》が合《あ》った。二人《ふたり》の間《あいだ》では、これ以上何《いじょうなに》も言《い》うことはない。

「なんだ。もうやめちゃうのか？」

柿沼《かきぬま》は、いかにも残念《ざんねん》そうに言《い》った。

「おれは、まだきたばっかりだぜ」

「やめたかねえさ。だけど、ポリ公《こう》とまともに戦《たたか》ったら勝《か》ち目《め》はねえよ」

相原《あいはら》は冷静《れいせい》である。

「おれたちは子《こ》どもだぜ。そこへおとなが攻《せ》めてくるなんて、おかしいんじゃねえのか」

「子《こ》どもだから、許《ゆる》せねえんだ。それがおとなさ」

「わかんねえな」

柿沼《かきぬま》は首《くび》を振《ふ》った。

「おれ、ごめんなさいって言《い》うのいやだぜ」

「そんなこと言《い》うもんか。降参《こうさん》はしねえよ」

「じゃあ、どうするんだ?」

「奴《やつ》らを、あっと言《い》わせてやるんだ」

「武器《ぶき》はあるのか?」

「そんなものはいらねえ。そのかわり、テレビを呼《よ》ぶんだ。それから、正門《せいもん》の内側《うちがわ》にバリケードをつくる」

「正門《せいもん》から入《はい》ってこねえかもしれねえぜ」

「どこから入《はい》ってきたっていいのさ。バリケードくらいつくらなくちゃ城《しろ》にならねえだろう」

「おれ、ちょっと考《かん》えたんだけど……」

英治《えいじ》は、非常階段《ひじょうかいだん》をおりながら、相原《あいはら》に話《はな》しかけた。

「なんだ？」

「塀《へい》に、花火《はなび》を仕掛《しか》けておいたらどうかな。きっとおどろくと思《おも》うけどな」

「そいつはいただきだ。塀《へい》がいっせいに火《ひ》を吹《ふ》いたら、校長《こうちょう》は心臓麻痺《しんぞうまひ》だな」

相原《あいはら》は、英治《えいじ》の背中《せなか》を思《おも》いきりたたいた。一瞬《いっしゅん》、息《いき》が止《と》まったが、英治《えいじ》の唇《くちびる》は自然《しぜん》にほころびた。

2

堀場久美子《ほりばくみこ》は、相原《あいはら》に大丈夫《だいじょうぶ》だ、まかしておけと胸《むね》をたたいたものの、家《いえ》にもどってきたとたん、急《きゅう》に落《お》ち着《つ》かなくなった。

「あなた、きょうどうかしてるんじゃない？　何《なに》があったの？」

母親《ははおや》の睦子《むつこ》に言《い》われて、久美子《くみこ》はぎくりとした。

「ないよ。変《へん》に気《き》をまわさないで。私《わたし》は、この夏《なつ》休《やす》みから心《こころ》を入《い》れかえたんだからね」

「へえ……。何日《なんにち》つづくかしらね」

睦子《むつこ》が、頭《あたま》から信用《しんよう》していないのは当然《とうぜん》だ。

「パパ、きょう何時《なんじ》に会社《かいしゃ》に行《い》くの？」

「いつもと同《おな》じ九時《くじ》よ。そんなこと聞《き》いてどうするのよ」

「別《べつ》に……」

「わかったわ。パパが出《で》かけたら、どこかへ遊《あそ》びに行《い》くんでしょう」

睦子《むつこ》はまったく見当《けんとう》ちがいのことを考《かんが》えている。久美子《くみこ》はおかしくなった。

「どお？　ママの言《い》うことは図星《ずぼし》でしょう。どこへ行《い》くか正直《しょうじき》に白状《はくじょう》しなさい」

「ちょっとね」

こう言《い》っておけば、睦子《むつこ》は久美子《くみこ》の本心《ほんしん》に気《き》づかないはずだ。

「ママも出《で》かけるから、よかったら途中《とちゅう》までママの車《くるま》に乗《の》せてってあげるわよ」

自分《じぶん》が遊《あそ》びに行《い》くときは、気《き》がひけるのか、言《い》いなりに小《こ》づかいをくれたりする。これでは、ばかばかしくて、とてもお説教《せっきょう》を聞《き》く気《き》にならない。

しかし、睦子《むつこ》が出《で》かけるとはねがってもないことだ。

「いいよ。あたしは午後《ごご》からだから」

「そう。じゃ、夜《よる》は外《そと》で食《た》べていらっしゃい」

久美子《くみこ》は、黙《だま》って手《て》を出《だ》した。

「きのうあげたでしょう」

「きのうときょうは別《べつ》だよ」

「しかたないわね」

久美子《くみこ》は、ハンドバッグをのぞきこんだ。

「こまかいのがないわ」

「大《おお》きいのでもいいよ」

「ちゃんとお釣《つ》りかえしなさい」

睦子《むつこ》はそう言《い》いながら、無雑作《むぞうさ》に五千円札《ごせんえんさつ》を出《だ》した。

「なんだ、これっぽっちか」

「これっぽっちとは何《なに》よ」

これ以上《いじょう》ママと遊《あそ》んではいられない。本題《ほんだい》に入《はい》ることにした。

「ねえ、パパって夏《なつ》だっていうのに、出《で》かけると
きいつもスーツ着《き》て行《い》くけど、どうして？」

「そりゃ、紳士《しんし》だからよ」

「見《み》てると、毎日別《まいにちべつ》の着《き》てるみたい」

「そりゃ、おしゃれだからよ」

睦子《むつこ》は、何《なに》かほかのことを考《かんが》えているらしい。

返事《へんじ》が上《うわ》の空《そら》である。

「きょうはどんなジャケット？」

「あなた、どうしてそんなくだらないことに興味《きょうみ》

があるの？　どうだっていいじゃないの？」

「じゃ、ママは無関心《むかんしん》？」

「そうよ。パパって、ママの選《えら》んだのじゃ気《き》に入《い》らないの。だから、パパの好《す》きにさせてるのよ」

「でも、よその家《いえ》では奥《おく》さんの選《えら》んだのを着《き》て行《い》くみたいよ」

「よそはよそ。うちはうち。もうあなたのお喋《しゃべ》りにつき合《あ》ってる時間《じかん》はないから、黙《だま》ってて」

睦子《むつこ》は、久美子《くみこ》に背《せ》を向《む》けて洋服《ようふく》だんすの中《なか》をかきまわしはじめた。きょう着《き》て行《い》く服《ふく》をどれにしようかと迷《まよ》っているにちがいない。どれ着《き》たって同《おな》じだよと言《い》いたいのを我慢《がまん》した。

父親《ちちおや》の千吉《せんきち》は、八時半《はちじはん》に起《お》きてきた。

「お早《はよ》う」

久美子《くみこ》は、食卓《しょくたく》に座《すわ》った千吉《せんきち》の前《まえ》に、トースト、ハムエッグ、オレンジジュースを運《はこ》んだ。

「お早《はよ》う。久美子《くみこ》は、この夏休《なつやす》みになってすっかり変《か》わったな」

千吉《せんきち》は、上機嫌《じょうきげん》で久美子《くみこ》を見上《みあ》げている。

――バカねえ。もうすぐ裏切《うらぎ》られるともしらないで。

「あたし、もうっっぱりから足《あし》を洗《あら》ったのよ」

「そうか、それは立派《りっぱ》だ。お前《まえ》はパパに似《に》て、もともと頭《あたま》のいい子《こ》だから、いつかは気《き》がつくと思《おも》っていたが、さすがだな」

「パパって毎日《まいにち》ジャケット替《か》えるでしょう？　お

しゃれなのね」

「おしゃれというより、身《み》だしなみだ」

「ねえ、きょうはあたしに選《えら》ばしてくれない？」

千吉《せんきち》は、ちらっと久美子《くみこ》を見《み》た。気《き》づかれたかなと心配《しんぱい》になってきた。

「そうだな。若《わか》い女《おんな》の子《こ》に選《えら》んでもらうのもわるくないな」

「じゃ、あたしが持《も》ってきてあげる」

久美子《くみこ》は、ダイニングキッチンを飛《と》び出《だ》して、二人《ふたり》が何《なに》を話《はな》しているか立《た》ち聞《ぎ》きした。

「久美子《くみこ》はすっかりいい子《こ》になったな。なんだか顔《かお》つきまで変《か》わったみたいだ」

千吉《せんきち》が睦子《むつこ》に話《はな》しかけている声《こえ》が聞《き》こえた。

「塾《じゅく》に通《かよ》って猛勉強《もうべんきょう》して、東大《とうだい》を狙《ねら》うんだって」

「うれしいことを言《い》ってくれるじゃないか。これでうちの跡取《あとと》りができたってもんだ」

おとなって、いい気《き》なもんだ。自分《じぶん》たちの頭《あたま》を考《かんが》えたらわかりそうなもんだ。ばかばかしくて、怒《おこ》る気《き》にもなれない。

久美子《くみこ》は、急《いそ》いでロッカーから白《しろ》い麻《あさ》のジャケットを持《も》ってくると、その内《うち》ポケットに、谷本《たにもと》からわたされた小型《こがた》の盗聴器《とうちょうき》をしのばせ、ダイニングキッチンの入口《いりぐち》まで戻《もど》ってくると、そのまま立《た》ち聞《ぎ》きをつづけた。

「いまの学校《がっこう》は、少《すこ》しはめをはずすと、すぐに非《ひ》行《こう》だというレッテルをはって差別《さべつ》してしまうが、よくないことだな」

「時期《じき》がくれば、ちゃんと立《た》ち直《なお》るのにね」

「子《こ》どもが立《た》ち直《なお》れるか直《なお》れないかは親《おや》の問題《もんだい》だ」

「私《わたし》たち、あの子《こ》に立派《りっぱ》な親《おや》だって言《い》えるかしら？」

「言《い》えるじゃないか。おれだって、ＰＴＡ《ピーティーエー》の会《かい》長《ちょう》を引《ひ》き受《う》けさせられるくらいだから名士《めいし》だ」

「その娘《むすめ》がスケ番《ばん》じゃね」

「だいぶ肩身《かたみ》の狭《せま》い思《おも》いをしてきたが、これで校《こう》長《ちょう》にも大《おお》きな顔《かお》ができる」

「校長《こうちょう》さんに気《き》をつかうことはないでしょう。パパがいつもお世話《せわ》してるんだから」

「あの男《おとこ》もいままでは、うまくやってきたんだが、最後《さいご》にきてみそをつけた」

「こんどのこと？」

「来年《らいねん》は辞《や》めなくちゃならんからな。再就職《さいしゅうしょく》には大《おお》きなハンデだ」

「だって、しかたないでしょう」

「しかたないでは済《す》まんさ。校長《こうちょう》だからな。当然《とうぜん》、管理能力《かんりのうりょく》を問《と》われることになるさ」

「テレビにまで出《で》たのはまずかったわね」

「そのことで、こんややってくるんだ」

「あら、こんやは談合《だんごう》が成功《せいこう》した慰労会《いろうかい》でしょう?」

「うちが落札《らくさつ》したのは、川向《かわむ》こうのS《エス》市《し》の老人《ろうじん》ホームだが、見返《みかえ》りとして、こんどの市長選挙《しちょうせんきょ》の票《ひょう》の取《と》りまとめを引《ひ》き受《う》けさせられた」

「そんなことできるの?」

「下請《したう》け業者《ぎょうしゃ》にやらせるのさ。きょう〝玉《たま》すだれ〟に集《あつ》まるのが五十《ごじゅっ》社《しゃ》ほどだ」

「どうして、そんなところでやるの？」

「S《エス》市《し》でやったら目立《めだ》つじゃないか」

「ああ、そういうこと」

「そこへ市長《しちょう》の岩切《いわきり》がやってきて挨拶《あいさつ》するんだ」

「なんの挨拶《あいさつ》？」

「きまってるじゃないか。市長選挙《しちょうせんきょ》の票《ひょう》の取《と》りまとめのおねがいだ」

「そんなことしてもいいの？」

「よくはないさ。しかし内輪《うちわ》の集《あつ》まりだからだれにもわかりゃせん。そこで、下請《したう》けに、お前《まえ》は何《なん》票《ぴょう》と票《ひょう》を割《わ》りあてるんだ」

「芝居《しばい》の切符《きっぷ》売《う》るみたいね」

「みんな生活《せいかつ》がかかっているから、必死《ひっし》になって票《ひょう》集《あつ》めをするさ」

「校長《こうちょう》さんは何《なに》しに行《い》くの？」

「辞《や》めたら、老人《ろうじん》ホームの館長《かんちょう》に横《よこ》すべりしたいのさ」

「売《う》り込《こ》み？」

「そうさ」

「生徒《せいと》のことしか頭《あたま》にないって言《い》いながら、そんなことやってるの？　みんなが聞《き》いたらおどろくわよ」

「立派《りっぱ》なこと言《い》ってるだけじゃ飯《めし》は食《く》えん。みんなそんなもんさ」

「でも、虫《むし》のいい話《はなし》。パパが引《ひ》き受《う》けたの？」

「無条件《むじょうけん》では引《ひ》き受《う》けんさ。それだけの仕事《しごと》をしてくれたらの話《はなし》だ」

「どんな仕事《しごと》？」

「老人票《ろうじんひょう》の取《と》りまとめだ」

「校長《こうちょう》に、そんなことができるの？」

「むかし、S市《エスし》で先生《せんせい》を長《なが》くやっていたからカオとコネはあるらしい」

「でも、公務員《こうむいん》でしょう。そんなことやっちゃいけないんじゃない？」

「きれいごとは言《い》っておれんさ。ちっとは泥《どろ》をかぶる覚悟《かくご》がなくちゃ……」

「男《おとこ》の世界《せかい》ってきびしいのね。女《おんな》に生《う》まれてよかったわ。でも、岩切市長《いわきりしちょう》って、ワルだって評判《ひょうばん》よ」

「ワルだから利用《りよう》できるんじゃないか。人間《にんげん》、ワルでない奴《やつ》はばかの役立《やくた》たずだ」

「そういえば、あなたも相当《そうとう》なワルですものね。いつも私《わたし》をだまして……」

「そのかわり、ぜいたくな暮《く》らしをさせているじゃないか。正直《しょうじき》で貧乏《びんぼう》なのとどっちがいい？」

「貧乏《びんぼう》はいやよ」

「そうだろう。こんやってくるのは、S市《エスし》の市長《しちょう》に建築課長《けんちくかちょう》、教育長《きょういくちょう》に警察署長《けいさつしょちょう》だ」

「警察署長《けいさつしょちょう》まで……？」

「おどろいたろう」

久美子《くみこ》は、もう頃合《ころあ》いだと思《おも》ってダイニングキッチンに入《はい》って行《い》った。

「選《えら》ぶのにずいぶん迷《まよ》っちゃったけど、やっぱり、この白《しろ》い麻《あさ》のジャケットにしたわ」

「うん、これはパパの気《き》に入《い》ってるやつだ」

千吉《せんきち》は、素直《すなお》に喜《よろこ》んで腕《うで》を通《とお》した。

「いいわ、よく似合《にあ》うよ」

「そうか。これなら若《わか》い子《こ》にもてるか？」

睦子《むつこ》が思《おも》いきりつねったらしく、千吉《せんきち》は、「うッ」と言《い》って顔《かお》をしかめた。

久美子《くみこ》は、笑《わら》いをかみ殺《ころ》してダイニングキッチンを飛《と》び出《だ》した。

3

『こちらナンバー14。緊急《きんきゅう》の連絡《れんらく》だ。どうぞ』

谷本《たにもと》の声《こえ》がいつになく緊張《きんちょう》している。何《なに》かあったにちがいない。

「こちらナンバー7。どうぞ」

『菊地《きくち》か？』

「そうだ。何《なん》かあったのか？」

『さっき、西脇先生《にしわきせんせい》からおれのパーソナル無線《むせん》にSOS《エスオーエス》が入《はい》ったんだ』

西脇《にしわき》と〝西脇先生《にしわきせんせい》の処女《しょじょ》を守《まも》る会《かい》〟会員谷本《かいいんたにもと》の間《あいだ》には、ホットラインが敷《し》かれてあって、西脇《にしわき》の身《み》に危険《きけん》が発生《はっせい》したときには、SOS《エスオーエス》を発信《はっしん》することになっている。

SOS《エスオーエス》と聞《き》いて、英治《えいじ》は胸《むね》がどきどきしてきて、言葉《ことば》がすぐに出《で》てこない。

『聞《き》こえてるか？　どうぞ』

「聞《き》こえてるよ。どうぞ」

『きょうの昼《ひる》ごろ、トドが先生《せんせい》のアパートに突然《とつぜん》あらわれたんだってさ』

「トドが……？」

それはこういうことであった。

西脇《にしわき》は、昼《ひる》になったのでどこかへ食事《しょくじ》に行《い》こうと思《おも》った。そのとき、ドアーをノックする音《おと》がした。

「どなた?」

西脇《にしわき》は用心《ようじん》ぶかい性質《たち》なので、不用意《ふようい》にドアーをあけることはしない。

「中学《ちゅうがく》の酒井《さかい》です。緊急《きんきゅう》にお話《はな》ししたいことがあってきました」

酒井《さかい》と聞《き》いていやな感《かん》じがしたが、緊急《きんきゅう》の用件《ようけん》といえば、中《なか》へ入《い》れないわけにはいかない。西脇《にしわき》はドアーをあけた。

部屋《へや》といっても1ＤＫ《ワンディーケー》なので、小《ち》さなダイニングテーブルの椅子《いす》に酒井《さかい》を座《すわ》らせ、冷《ひ》えたジュースを出《だ》した。

「何《なに》かしら？」

酒井《さかい》の表情《ひょうじょう》がこわばっているので、西脇《にしわき》も自然《しぜん》に硬《かた》くなる。それでなくても、酒井《さかい》に話《はな》しかけられると、鳥肌《とりはだ》が立《た》ちそうになるのだ。

「先生《せんせい》、毎朝子《まいあさこ》どもたちのところへ差《さ》し入《い》れに行《い》ってるでしょう?」

酒井《さかい》にいきなり言《い》われて、なんと答《こた》えようかと一瞬迷《いっしゅんまよ》った。しかし、隠《かく》すこともないと思《おも》ったので、

「ええ、行《い》ってますけど」と言《い》った。

「それはまずいですよ」

「あら、どうして？　私《わたし》は、生徒《せいと》たちがかぜをひいたり、おなかをこわしたりしはしないか、それを聞《き》きに行《い》ってるんですのよ。養護教諭《ようごきょうゆ》として当然《とうぜん》のことと思《おも》いますけど」

「ふだんなら、それで通用《つうよう》しますが、いまはそんなふうには受《う》け取《と》られませんよ」

「どんなふうに受《う》け取《と》られるんですの？」

「生徒《せいと》たちを煽動《せんどう》しているのは西脇先生《にしわきせんせい》ではないか。先生《せんせい》は隠《かく》れ過激派《かげきは》だって……」

西脇《にしわき》は、しばらく笑《わら》いが止《と》まらなくなった。

「思《おも》いたい人《ひと》には思《おも》わせておけばいいですわ」

「そうはいきません。そうなったら先生《せんせい》はこれですよ」

酒井《さかい》は、手刀《てがたな》で首《くび》を切《き》るまねをした。

「そんなばかばかしいお話《はなし》に、まともにお答《こた》えする気《き》にはなれませんわ」

「先生《せんせい》は純真《じゅんしん》で、裏《うら》の世界《せかい》を知《し》らな過《す》ぎます。世《よ》の中《なか》には、わるい奴《やつ》がいっぱいいます。降《ふ》りかかる火《ひ》の粉《こ》は、自分《じぶん》で払《はら》わなければやられてしまいます」

「じゃ、どうしろとおっしゃるんですか?」

「ぼくに、火《ひ》の粉《こ》を払《はら》わせてください」

酒井《さかい》は、ぐっと顔《かお》を寄《よ》せてきた。鼻毛《はなげ》が束《たば》になって見《み》える。

「それ、どういう意味《いみ》ですの?」

「ぼくの嫁《よめ》さんになってほしいのです。そうすれば、だれが来《き》たって指一本《ゆびいっぽん》ささせやしません」

「結婚《けっこん》なんて、私《わたし》まだ考《かんが》えていません」

「じゃ、婚約《こんやく》だけでもいいです。おねがいします」

酒井《さかい》は頭《あたま》を下《さ》げ過《す》ぎて、額《ひたい》をテーブルにぶつけた。

「お断《ことわ》りします」

「先生《せんせい》」

「ご用《よう》がそれだけでしたら、もうお帰《かえ》りください」

「先生《せんせい》は、ぼくを敵《てき》にするつもりですか？」

「敵《てき》にするなんて言《い》っていませんわ」

「しかし、あのガキどもは私《わたし》の敵《てき》です。先生《せんせい》はあの連中《れんちゅう》の黒幕《くろまく》です。じゃ私《わたし》の敵《てき》ということになるじゃありませんか」

「とにかく、もうお帰《かえ》りください」

「いいです。帰《かえ》りましょう。しかし先生《せんせい》はあすから、あのガキどもの煽動者《せんどうしゃ》だという烙印《らくいん》を押《お》されますよ」

「しかたありませんわ」

「いい度胸《どきょう》だ。あとで泣《な》かないことだ」

酒井《さかい》は、ドアーを荒々《あらあら》しくあけると、捨《す》てぜりふを残《のこ》して出《で》て行《い》ってしまった。

『そういうわけなんだ』

と谷本《たにもと》が言《い》った。英治《えいじ》は顔《かお》が熱《あつ》くなった。

「やり方《かた》が汚《きた》ねえじゃんか」

『放《ほう》っとくわけにはいかねえぜ』

「わかった。みんなで、どうするか考《かんが》えるから、三十分《さんじっぷん》たったらもう一度《いちど》連絡《れんらく》してくれねえか」

『OK《オーケー》。じゃあな』

英治《えいじ》は、屋上《おくじょう》から非常階段《ひじょうかいだん》を駆《か》けおりながら、広場《ひろば》で迷路《めいろ》をこわして、バリケードをつくっているみんなにどなった。

「おーい、集《あつ》まってくれ。西脇先生《にしわきせんせい》がヤバイことになったぞ」

安永《やすなが》が真《ま》っ先《さき》に走《はし》ってきた。

「どうしたんだ?」

英治《えいじ》は、まわりを取《と》り巻《ま》いたみんなに、谷本《たにもと》からの報告《ほうこく》を話《はな》して聞《き》かせた。

「あんちくしょう。おれたちをだしにつかいやがって」

安永《やすなが》は、動物《どうぶつ》のようなうなり声《ごえ》を出《だ》した。

「放《ほう》っとくわけにはいかねえな」

相原《あいはら》が言《い》った。

「トドのことだから、自分《じぶん》の言《い》うことを聞《き》いてくれないとなったら、何《なに》をやるかわかんねえぜ。もしかしたら、西脇先生《にしわきせんせい》やめさせられるかも」

中尾《なかお》が冷静《れいせい》な声《こえ》で言《い》った。

「そいつはねえぜ」

天野《あまの》の顔《かお》が歪《ゆが》んだ。貧血《ひんけつ》をよく起《お》こす天野《あまの》は、西脇《にしわき》には特別世話《とくべつせわ》になっているのだ。

「へたすると、先生魔女《せんせいまじょ》にされちまう」

「先生《せんせい》が魔女《まじょ》だって？」

天野《あまの》は、目《め》をむいて中尾《なかお》をにらんだ。

「わるいことは、みんな先生《せんせい》におっかぶせちゃうのさ。そういうのを魔女狩《まじょが》りっていうんだ」

英治《えいじ》は、中尾《なかお》の博識《はくしき》に感心《かんしん》した。

「助《たす》けようぜ」

「と言《い》ったって、ここにいるおれたちに何《なに》ができるんだ?」

天野《あまの》は、英治《えいじ》の顔《かお》を穴《あな》のあくほど見《み》つめた。

「柿沼《かきぬま》のときみたいに、女子《じょし》にたのめねえかな」

「こうなったら、トドをやっつけるしかないさ」

「いい方法《ほうほう》があるのか?」

相原《あいはら》につめ寄《よ》られて、中尾《なかお》はうなずいた。

「ある」

みんなの視線《しせん》が中尾《なかお》に集中《しゅうちゅう》した。

「トドに、こう電話《でんわ》するんだよ。『西脇先生《にしわきせんせい》の伝言《でんごん》ですけれど、こんや六時《ろくじ》に〝玉《たま》すだれ〟でお待《ま》ちしています』とな」

「だれが電話《でんわ》するんだ？」

「中山《なかやま》ひとみがいいよ。彼女《かのじょ》なら、おばさんみたいな声《こえ》も出《だ》せるだろう」

「それはいいけど、〝玉《たま》すだれ〟っていや、こんや校長《こうちょう》や市長《しちょう》が集《あつ》まるところだぜ」

「それは六時半《ろくじはん》からだろう。だから六時《じ》にしたんだ。トドは、きっとそんな会合《かいごう》があること知《し》らないはずだから、西脇先生《にしわきせんせい》の伝言《でんごん》だといや、喜《よろこ》んで行《い》くと思《おも》うぜ」

「そりゃ、そうだけど」

相原《あいはら》は、口《くち》の中《なか》でつぶやいた。

「〝玉《たま》すだれ〟はひとみの家《いえ》だから、彼女《かのじょ》にたのめば、一部屋《へや》くらい取《と》ってくれるだろう」

「そいつは大丈夫《だいじょうぶ》だ」

「そうしたら、その部屋《へや》にトドを待《ま》たせておくんだ」

英治《えいじ》には、中尾《なかお》が何《なに》を言《い》おうとしているのか、まだわからない。

「トドは、西脇先生《にしわきせんせい》がいま来《く》るか、いま来《く》るかと、いらいらしながら待《ま》っている。一方《いっぽう》、別《べつ》の大広間《おおひろま》では、市長《しちょう》たちの宴会《えんかい》がはじまる」

「その宴会《えんかい》の様子《ようす》は、盗聴《とうちょう》して解放区放送《かいほうくほうそう》で流《なが》すんだろう？　盗聴器《とうちょうき》はうまくセットしたのか？」

日比野《ひびの》が聞《き》いた。

「盗聴器《とうちょうき》は、堀場久美子《ほりばくみこ》がおやじのポケットに入《い》れてくれた。さっきテストしてみたけど、バッチシだ」

相原《あいはら》は、指《ゆび》で○をつくった。

「盗聴器《とうちょうき》の電池《でんち》、夜《よる》までもつのか？」

「あったりまえじゃん」

「〝玉《たま》すだれ〟からここまでは、六《ろく》、七百《ななひゃく》メートルあるだろう。電波《でんぱ》が届《とど》かねえんじゃねえのか？」

柿沼《かきぬま》が心配《しんぱい》そうに言《い》った。

「まず、盗聴器《とうちょうき》からの発信《はっしん》を最初《さいしょ》に拾《ひろ》うのは中《なか》山《やま》ひとみだ。同時《どうじ》に彼女《かのじょ》はFM《エフエム》発信器《はっしんき》で電波《でんぱ》を飛《と》ばす。そこから一〇〇《ひゃく》メートル離《はな》れて井原由紀《いはらゆき》子《こ》。また一〇〇《ひゃく》メートル離《はな》れて白井直子《しらいなおこ》……というふうに、ここまで電波《でんぱ》の鎖《くさり》をつなげるのさ。そうすれば、それぞれが半径《はんけい》一〇〇《ひゃく》メートルの範囲《はんい》で到達《とうたつ》するから、かなり広《ひろ》い地域《ちいき》にひろげることができる。もちろん、時間《じかん》は同時《どうじ》にだ」

「そうか。そうやって解放区放送《かいほうくほうそう》をやったのか？」

柿沼《かきぬま》は、すっかり感心《かんしん》した。

「こういうことは、全部谷本《ぜんぶたにもと》が考《かんが》えたのさ。あいつは天才《てんさい》だからな」

「それはわかったけど、それからどうなるんだ？」

日比野《ひびの》は、中尾《なかお》の顔《かお》を見《み》た。

「宴会《えんかい》の様子《ようす》を盗聴《とうちょう》して放送《ほうそう》すりゃ、聞《き》いた連中《れんちゅう》の中《なか》から、だれかがきっと〝玉《たま》すだれ〟に電話《でんわ》してくると思《おも》うんだ」

みんなが、大《おお》きくうなずいた。

「そこで、大騒《おおさわ》ぎになって盗聴器《とうちょうき》を探《さが》すけど、堀《ほり》場君《ばくん》のおやじのポケットにあるんだから、見《み》つかりっこない」

「それとトドとどういう関係《かんけい》になるんだ？」

英治《えいじ》は、とうとう聞《き》いてしまった。

「みんな、かっかして探《さが》してるところに、盗聴《とうちょう》してるのは、トドだって電話《でんわ》してやるのさ」

「そうか」

相原《あいはら》が大《おお》きな声《こえ》で叫《さけ》んだ。

「そうなったら、トドは袋叩《ふくろだた》きにされることはまちがいないぜ」

「やったあ」

みんなが、いっせいに拍手《はくしゅ》した。

「まさか、西脇先生《にしわきせんせい》と待《ま》ち合《あ》わせしているとは言《い》えねえもんな」

「おもしれえことになるぞ」

天野《あまの》は、飛《と》び上《あ》がって喜《よろこ》んだ。

「お前《まえ》って、どういう頭《あたま》してるんだ？」

安永《やすなが》は、呆《あき》れたように中尾《なかお》の顔《かお》を見《み》つめた。

「別《べつ》に……」

中尾《なかお》は、いつもと変《か》わらない。ここが中尾《なかお》のすごいところなのだ。

4

午後六時《ごごろくじ》。

酒井《さかい》は〝玉《たま》すだれ〟の冠木門《かぶきもん》をくぐった。そこから玄関《げんかん》までの飛《と》び石《いし》には打《う》ち水《みず》がしてある。酒井《さかい》はこれまで、ラブホテルには何度《なんど》も入《はい》ったことがあるが、こういうところははじめてである。料金《りょうきん》は、きっと高《たか》いのだろうな。きてくれと言《い》ったのは西脇《にしわき》だから、西脇《にしわき》が払《はら》うのか。いや、そんなけちなことをしては嫌《きら》われる。

そんなことを考《かんが》えながら玄関《げんかん》に立《た》った。話《はなし》は通《つう》じているとみえて、すぐに離《はな》れに案内《あんない》された。

「おつれさまは、一時間《いちじかん》ほどおくれるそうですから、お風呂《ふろ》に入《はい》って、テレビでもごらんになっていてください」

女中《じょちゅう》がそう言《い》って引《ひ》き下《さ》がった。一時間《いちじかん》も遅刻《ちこく》するのはちょっとひどい。むっとしながら次《つぎ》の間《ま》の襖《ふすま》をあけてみた。

なまめかしい布団《ふとん》が、二《ふた》つ敷《し》いてあるではないか。酒井《さかい》は、頭《あたま》に血《ち》が上《のぼ》った。頬《ほお》の筋肉《きんにく》が、限《かぎ》りなくゆるんでゆく。

西脇由布子《にしわきゆうこ》が、こんなに早《はや》くものになるとは思《おも》ってもみなかった。やはり、男《おとこ》は押《お》しなのだ。

酒井《さかい》は、すもうでやる鉄砲《てっぽう》のまねをしながら、部屋中《へやじゅう》歩《ある》きまわった。

「やったぜ。おれは、日本一《にほんいち》幸《しあわ》せな男《おとこ》だ」

午後六時三十分《ごごろくじさんじっぷん》。

「こんばんは、こちら解放区《かいほうく》。諸君《しょくん》。きょうも一《いち》日中暑《にちじゅうあつ》かったけれど、からだの調子《ちょうし》は大丈夫《だいじょうぶ》か？　ではただいまから、大都会《だいとかい》のブラックホール、区内某所《くないぼうしょ》で行《おこな》われようとする秘密《ひみつ》の会合《かいごう》を、実況生中継《じっきょうなまちゅうけい》する。もちろん、この中継《ちゅうけい》を向《む》こうは知《し》らない。もし知《し》られれば命《いのち》はない。これこそまさに、本邦初公開《ほんぽうはつこうかい》。空前絶後《くうぜんぜつご》の決死的放送《けっしてきほうそう》なのだ。きょうの実況担当《じっきょうたんとう》は、おなじみの天野司郎《あまのしろう》アナだ」

テーマ曲《きょく》〝炎《ほのお》のファイター〟。

「まず、登場人物《とうじょうじんぶつ》を紹介《しょうかい》しよう。市長《しちょう》、教育長《きょういくちょう》、建築課長《けんちくかちょう》、警察署長《けいさつしょちょう》、校長《こうちょう》、土建会社社長《どけんがいしゃしゃちょう》と下《した》請《う》け会社社長数十人《がいしゃしゃちょうすうじゅうにん》。この連中《れんちゅう》がなんのために集《あつ》まるのかって？　それは、実況《じっきょう》を聞《き》いてもらえばわかる。ではこれから、われわれの想像《そうぞう》を絶《ぜっ》する、悪《あく》と謀略《ぼうりゃく》のワンダーランドへ諸君《しょくん》を案内《あんない》しよう」

堀場千吉《ほりばせんきち》は、市長《しちょう》の岩切栄策《いわきりえいさく》を案内《あんない》して大広《おおひろ》間《ま》に入《はい》った。拍手《はくしゅ》がいっせいに起《お》こった。

「ずいぶん集《あつ》まったじゃないか？」

岩切《いわきり》は満足《まんぞく》そうにつぶやいた。

「私《わたし》の予想《よそう》では五十人《ごじゅうにん》と踏《ふ》んでいましたが、ざっと百人《ひゃくにん》はいます」

大広間《おおひろま》は、その熱気《ねっき》で冷房《れいぼう》も効《き》かず、むんむんしていた。

「ええみなさん、本日《ほんじつ》はこの暑《あつ》さにもかかわらず、かくも多数《たすう》ご参集《さんしゅう》いただきまして、私《わたくし》、心《こころ》より感激《かんげき》しております」

千吉《せんきち》は、ちらと岩切《いわきり》の方《ほう》を見《み》た。岩切《いわきり》は大《おお》きくうなずいた。

「さて、みなさんに最初《さいしょ》にご報告《ほうこく》しておきたいのですが、さきほどサンライズホテルで話《はな》し合《あ》いが行《おこな》われた結果《けっか》、あすの入札《にゅうさつ》にはわが社《しゃ》が落札《らくさつ》することに決定《けってい》しました」

激《はげ》しい拍手《はくしゅ》が大広間《おおひろま》に充満《じゅうまん》した。

「これもひとえに、市長《しちょう》をはじめ、市会議員《しかいぎいん》、建築《けんちく》課長《かちょう》、教育長《きょういくちょう》のご尽力《じんりょく》の賜物《たまもの》であります。ここで一同《いちどう》になりかわって、あらためてお礼申《れいもう》し上《あ》げます」

堀場《ほりば》は一同《いちどう》に起立《きりつ》を命《めい》じ、それから市長《しちょう》に向《む》かって、「ありがとうございました」と全員《ぜんいん》で頭《あたま》を下《さ》げた。

「ちょっと待《ま》ってくれたまえ。私《わたし》が尽力《じんりょく》したなどと言《い》ってもらっては困《こま》る。これは、あくまでも堀《ほり》場建設《ばけんせつ》の実力《じつりょく》が、こういう結果《けっか》をもたらしたのだ」

「市長《しちょう》さん、ここはみんな身内《みうち》じゃけん、建前《たてまえ》は言《い》わんでもよかたい。無礼講《ぶれいこう》でいきまっしょ」
九州出身《きゅうしゅうしゅっしん》の業者《ぎょうしゃ》が言《い》うと、「そうだ、そうだ」
という声《こえ》が湧《わ》き上《あ》がった。
「では、こんやは無礼講《ぶれいこう》でゆくとして、みなさん
が酔《よ》っぱらわないうちに、ぜひお話《はな》ししておきた
いことがあります」
堀場《ほりば》は、静《しず》かにするよう手《て》で制《せい》してから言《い》った。
「言《い》わんでもわかっとる」
「われわれは、大恩《だいおん》ある市長《しちょう》に、何《なに》かお返《かえ》しをし

なければならないのですが、リベートということになると、出《だ》した方《ほう》も受《う》け取《と》った方《ほう》もこれです」

堀場《ほりば》は、警察署長《けいさつしょちょう》の倉井《くらい》の方《ほう》を向《む》いて、左右《さゆう》の拳《こぶし》をかさね、しばられるしぐさをした。倉井《くらい》は、それを見《み》てうなずいてみせた。

「したがって、われわれのできることといえば、来《き》たるべき市長選挙《しちょうせんきょ》のお手《て》つだいということになります。どうです、みなさん。やっていただけますか?」

千吉《せんきち》は、一同《いちどう》の顔《かお》を見《み》わたした。

「わかった」「まかしとけ」という声《こえ》がいっせいに湧《わ》き起《お》こった。

「みなさん、こんどもぜひ私《わたし》を市長《しちょう》にさせてください」

岩切《いわきり》は、顔《かお》を真《ま》っ赤《か》にして言《い》うと、何度《なんど》も頭《あたま》を下《さ》げた。

「そこで、単刀直入《たんとうちょくにゅう》にいきましょう。何票《なんぴょう》引《ひ》き受《う》けていただけますかな?」

千吉《せんきち》は、みんなの顔《かお》を眺《なが》めまわした。

「私《わたし》は五十票《ごじゅっぴょう》」

「二《ふた》ケタはだめだ。三《さん》ケタにしろ」

「じゃ百票《ひゃっぴょう》」

「だめだ。二百票《にひゃっぴょう》にしろ」

「よし、二百票《にひゃっぴょう》引《ひ》き受《う》けた」

酒《さけ》がまわってきたせいか、だんだん景気《けいき》がよくなった。

「市長《しちょう》、選挙《せんきょ》のことはまかせとけ」

だれかがどなった。

「ちょっとお待《ま》ちください」

教育長《きょういくちょう》で、岩切《いわきり》の選挙参謀《せんきょさんぼう》でもある中川《なかがわ》が、
沸騰《ふっとう》する湯《ゆ》に水《みず》をさすように言《い》った。

「こんどの選挙《せんきょ》は、前回《ぜんかい》のように楽勝《らくしょう》とはいかないのです」

「そんなことはないでしょう」

だれかが言《い》った。

「前田一雄《まえだかずお》が急速《きゅうそく》に力《ちから》をつけているからです」

「前田《まえだ》って、あの赤野郎《あかやろう》のことですか……？」

「前田《まえだ》そのものは大《たい》したことないのですが、彼《かれ》をバックアップしている市民《しみん》グループが問題《もんだい》です」

「過激派《かげきは》ですか？」

千吉《せんきち》が聞《き》いた。

「過激派《かげきは》の方《ほう》が扱《あつか》いやすいんですが、連中《れんちゅう》は女《おんな》です。しかも、煮《に》ても焼《や》いても食《く》えない中年《ちゅうねん》のおばんときてるから厄介《やっかい》なのです」

「有権者《ゆうけんしゃ》の半分《はんぶん》は女《おんな》ですからねぇ」

岩切《いわきり》は、肩《かた》で大《おお》きく息《いき》をした。

「前田《まえだ》って野郎《やろう》が、また女《おんな》にもてるんですよ。私《わたし》らから見《み》ると、べたべたしたいやな奴《やつ》なんですが、物腰《ものごし》と言葉《ことば》がやわらかいから、中年《ちゅうねん》のおばんはすぐ参《まい》っちまうんです」

千吉《せんきち》はうなりながら、あらためて岩切《いわきり》の顔《かお》を見《み》た。脂《あぶら》ぎって精力的《せいりょくてき》で、助平《すけべい》を絵《え》に描《か》いたような顔《かお》だ。これでは、どう見《み》ても女《おんな》にはもてそうにない。

「連中《れんちゅう》のつくっている組織《そしき》は、S市《エスし》を金権《きんけん》から守《まも》る連合会《れんごうかい》というんですが、草《くさ》の根運動《ねうんどう》と称《しょう》して、女《おんな》を一本釣《いっぽんづ》りして会員《かいいん》にしているのです」

「すると、連中《れんちゅう》が手弁当《てべんとう》で前田《まえだ》の選挙運動《せんきょうんどう》をしているわけですか？」

「そうです。だからこっちもうかうかしておれないのです」

岩切《いわきり》は、同情《どうじょう》をひくためか肩《かた》をすぼめた。

「市長《しちょう》さん、あんたにはわしらがついとるんじゃ。女《おんな》なんかに負《ま》けてたまるか。金《かね》がいるなら、いくらでも集《あつ》めようじゃないか」

千吉《せんきち》は大見得《おおみえ》を切《き》った。

「そうだ、そうだ。選挙《せんきょ》のことはおれたちにまかして、大船《おおぶね》に乗《の》った気持《きも》ちでいろや」

「市長《しちょう》、一杯《いっぱい》」

岩切《いわきり》は、無理矢理《むりやり》車座《くるまざ》の中《なか》に引《ひ》きすえられ、四方八方《しほうはっぽう》からコップ酒《ざけ》を突《つ》きつけられた。その一《ひと》つを取《と》って、一気《いっき》にあおった。

「お見事《みごと》。もう一杯《いっぱい》」

別《べつ》の手《て》が、またなみなみと注《そそ》がれたグラスを差《さ》し出《だ》した。

「これでもうご勘弁《かんべん》を」

「お、市長《しちょう》さん。私《わたし》のは受《う》けられねえんですかい」

からまれて、岩切《いわきり》はまた一杯《いっぱい》を空《から》にした。もともと酒《さけ》は嫌《きら》いな方《ほう》ではない。岩切《いわきり》は、すすめられるままにグラスを重《かさ》ねるうちに、次第《しだい》に上機嫌《じょうきげん》になってきた。

「おい中川《なかがわ》、カラオケだ。カラオケ」

岩切《いわきり》は、中川《なかがわ》にどなった。
「待《ま》ってました」
いっせいに拍手《はくしゅ》が起《お》こった。岩切《いわきり》は、足《あし》もとも
おぼつかなく正面《しょうめん》に進《すす》み出《で》た。だれかがマイクを
にぎらせた。
「では、八代亜紀《やしろあき》の舟唄《ふなうた》を一《ひと》つ」
〽お酒《さけ》はぬるめの　燗《かん》がいい

すると、だれかが復唱《ふくしょう》した。

〽お金《かね》は多《おお》めの　方《ほう》がいい

岩切《いわきり》は歌《うた》にすっかり陶酔《とうすい》している。音程《おんてい》はときどき狂《くる》うのだが、そんなことは全然《ぜんぜん》わかっていないらしい。一度《いちど》にぎったマイクを離《はな》そうとしない。

「榎本《えのもと》さん」

教育長《きょういくちょう》の中川《なかがわ》は、市長《しちょう》をしらけた目《め》で見《み》ながら、校長《こうちょう》の榎本《えのもと》に話《はな》しかけた。

「なんでしょうか」

榎本《えのもと》は、場《ば》ちがいのところに迷《まよ》いこんだという感《かん》じで、さっきから硬《かた》くなって酒《さけ》も口《くち》にしない。

中川《なかがわ》は銚子《ちょうし》を差《さ》し出《だ》した。それを一息《ひといき》にあけてから、中川《なかがわ》に返《かえ》した。

「来年《らいねん》ですか?」

「はい。その節《せつ》はよろしくおねがいします」

榎本《えのもと》は畳《たたみ》に頭《あたま》をすりつけた。

「頼《たの》みますよ」

脇《わき》から千吉《せんきち》が口添《くちぞ》えした。

「堀場《ほりば》さんの頼《たの》みだからなんとかしますが、おたくの生徒《せいと》たちの解放区《かいほうく》、あれはいけませんな」

「それをおっしゃられると、穴《あな》があったら入《はい》りたい心境《しんきょう》でございます」

榎本《えのもと》は、額《ひたい》の汗《あせ》をハンカチで拭《ぬぐ》った。

「いままで、うまくいっていたのに、どうしたんですか?」

「はい。私《わたし》もそれで油断《ゆだん》しておりました」

「理由《りゆう》はなんですか？」

「だれかが煽動《せんどう》しているものと思《おも》われます」

「だれかとは、おとなですか？」

「はい」

「それは問題《もんだい》ですな。いつまで放《ほう》っておかれるんですか？」

「警察《けいさつ》、教育委員会《きょういくいいんかい》、ＰＴＡ《ピーティーエー》とも相談《そうだん》しましたが、あすにでもと考《かんが》えております」

「それはいいでしょう。ただし、榎本《えのもと》さんが矢面《やおもて》には立《た》たないでくださいよ。あんまり派手《はで》にマスコミからぶったたかれたりすると、推薦《すいせん》しにくくなりますからね」

「それは十分心《じゅうぶんこころ》します。ご配慮《はいりょ》ありがとうございます」

女将《おかみ》がやってきて、中川《なかがわ》に「お電話《でんわ》です」と言《い》った。中川《なかがわ》は、出《で》て行《い》ったかと思《おも》うと、すぐに顔《かお》をひきつらせて帰《かえ》ってきた。

「何《なに》かあったんですか?」

千吉《せんきち》の問《と》いかけを無視《むし》して、まだマイクを離《はな》さない、岩切《いわきり》のところに駆《か》け寄《よ》った。

「市長《しちょう》、歌《うた》は中止《ちゅうし》してください」

言《い》うなりマイクをもぎ取《と》った。

「何《なに》をするか!」

岩切《いわきり》は、中川《なかがわ》を突《つ》き飛《と》ばした。岩切《いわきり》は大男《おおおとこ》で、中川《なかがわ》は細身《ほそみ》である。一突《ひとつ》きで、その場《ば》に尻餅《しりもち》をついた。

「歌《うた》ってはいけません」

中川《なかがわ》は、立《た》ち上《あ》がると岩切《いわきり》の口《くち》を手《て》で押《お》さえた。

「君《きみ》は、気《き》でも狂《くる》ったのか？」

岩切《いわきり》は、ますます逆上《ぎゃくじょう》した。

「盗聴《とうちょう》されているのです」

「なんだって？」

「この部屋《へや》のどこかに盗聴器《とうちょうき》がセットされていて、われわれの喋《しゃべ》った一部始終《いちぶしじゅう》が、家庭《かてい》のラジオから放送《ほうそう》されているのです」

「そんなばかなことが、あってたまるか！」

岩切《いわきり》はどなった。千吉《せんきち》も同《おな》じ思《おも》いであった。

「いま、奥《おく》さまから電話《でんわ》がありまして、市民《しみん》とマスコミから、電話《でんわ》がじゃんじゃんかかっているそうです」

「わしの家《いえ》に？」

「奥《おく》さまは、何《なに》がなんだかわからないけれど、ショックで心臓《しんぞう》が止《と》まりそうだと言《い》っておられます」

「すると、わしの舟唄《ふなうた》も聞《き》かれたのか？」

「もちろんです」

「そうか。わしの歌《うた》がはじめて電波《でんぱ》に乗《の》ったか
……」

「何《なに》を言《い》っておられます。もうすぐマスコミがここにやってきますよ」

「それはえらいこっちゃ。すぐに解散《かいさん》しよう」

岩切《いわきり》はもう浮《う》き足《あし》だっている。

「その前《まえ》に盗聴器《とうちょうき》を捜《さが》さなくては……」

千吉《せんきち》は、指《ゆび》を唇《くちびる》にあてた。急《きゅう》に部屋《へや》がしんとなった。全員《ぜんいん》が大広間《おおひろま》に散《ち》って、天井《てんじょう》、壁《かべ》、花瓶《かびん》、机《つくえ》の下《した》と捜《さが》した。しかし盗聴器《とうちょうき》は見《み》つからない。

「これは陰謀《いんぼう》だ。法律違反《ほうりついはん》だ。そうでしょう？ 署長《しょちょう》」

千吉《せんきち》が言《い》うと、署長《しょちょう》はうなずくと同時《どうじ》に、

「私《わたし》は署《しょ》にもどらなくては……」

と言《い》いながら、逃《に》げるように大広間《おおひろま》から出《で》て行《い》った。

「市長《しちょう》、とにかく市民《しみん》に何《なに》か話《はな》してください。このまま放《ほう》っておくわけにはまいりません」

中川《なかがわ》が、すがるような目《め》で岩切《いわきり》を見《み》た。岩切《いわきり》は大《おお》きくうなずいてから、

「この放送《ほうそう》をお聞《き》きの市民《しみん》のみなさん。私《わたし》は市《し》長《ちょう》の岩切栄策《いわきりえいさく》です。今宵《こよい》は、私《わたし》を励《はげ》ますために、同志《どうし》の諸君《しょくん》が集《あつ》まってくれた内輪《うちわ》の宴会《えんかい》です。けっしてやましいものではありません。みなさんだって、家《いえ》に帰《かえ》れば、会社《かいしゃ》の上司《じょうし》とか社長《しゃちょう》の悪《わる》

口《くち》を言《い》うことはあると思《おも》います。それを社長《しゃちょう》がひそかに盗聴《とうちょう》して、お前《まえ》はけしからんと言《い》うでしょうか……。いかに選挙《せんきょ》に勝《か》ちたいからといっても、戦《たたか》いにはルールというものがあります。こういうアンフェアな手段《しゅだん》で、私《わたし》のイメージダウンをはかるような人物《じんぶつ》を、私《わたし》は断《だん》じて許《ゆる》すことができません。もしこういう人物《じんぶつ》を市長《しちょう》に選《えら》ぶなら、市民《しみん》のみなさんのプライバシーもどうなるかわかりません」

さすが、海千山千《うみせんやません》である。見事《みごと》に、マイナスをプラスに逆転《ぎゃくてん》してしまった。

そのとき、下請《したう》け業者《ぎょうしゃ》が数人《すうにん》で、部屋《へや》に男《おとこ》を引《ひ》きずりこんできた。

「どうしたんだ?」

「いま、電話《でんわ》のたれ込《こ》みがありまして、離《はな》れで男《おとこ》が盗聴《とうちょう》しているというんです。そこで行《い》ってみたら、こいつがいたんです。しぶとい野郎《やろう》で、おとなしく言《い》っても口《くち》を割《わ》らないもんですから、少《すこ》しばかり痛《いた》めつけてやりました」

男《おとこ》の顔《かお》はふくれあがり、畳《たたみ》の上《うえ》にながながと伸《の》びている。榎本《えのもと》が近《ちか》づいて男《おとこ》の顔《かお》をのぞきこんだ。

「君《きみ》は……」

そう言《い》ったまま絶句《ぜっく》した。

「校長《こうちょう》さん、ご存知《ぞんじ》の男《おとこ》ですか？」

「はい。うちの学校《がっこう》の体育《たいいく》の教師《きょうし》で、酒井《さかい》と言《い》います」

「なんだって……？」

中川《なかがわ》は目《め》をむいた。

「酒井君《さかいくん》、君《きみ》だけは信用《しんよう》していたのに、どうして盗聴《とうちょう》なんてことをやったのだ？」

「なんのことか、私《わたし》にはさっぱりわかりません」

酒井《さかい》は、顔《かお》をしかめながら言《い》った。

「それなら聞《き》くが、君《きみ》は離《はな》れでいったい何《なに》をしていたんだ？」

「それは……」息《いき》を呑《の》んでから「ある人《ひと》と待《ま》ち合《あ》わせしたんです」

「それは女性《じょせい》か?」

「はい」

酒井《さかい》は顔《かお》を伏《ふ》せた。

「女《おんな》なんかいませんでしたよ」

酒井《さかい》を引《ひ》きずってきた男《おとこ》が言《い》った。

「まだ、来《き》ていないんです」

「何時《なんじ》に待《ま》ち合《あ》わせたのだ?」

「六時《ろくじ》です」

「もう七時《しちじ》半過《はんす》ぎだぞ」

「こいつの言《い》ってることはでたらめですよ。もっと痛《いた》めつけて泥《どろ》を吐《は》かせましょう」

だれかが、酒井《さかい》の脇腹《わきばら》を蹴《け》った。酒井《さかい》は「うッ」とからだを二《ふた》つに折《お》った。

「市長《しちょう》、テレビがやってきました。新聞記者《しんぶんきしゃ》もです」

中川《なかがわ》が言《い》うと同時《どうじ》に、教育長《きょういくちょう》と榎本《えのもと》はこそこそと廊下《ろうか》に逃《に》げ出《だ》した。

「どうする?」

岩切《いわきり》は、救《すく》いを求《もと》めるように千吉《せんきち》の顔《かお》を見《み》た。

「こうなったら開《ひら》き直《なお》るしかないでしょう」

千吉《せんきち》は、グラスに酒《さけ》をなみなみと注《つ》いで岩切《いわきり》にわたした。岩切《いわきり》はそれを一気《いっき》にあけて部屋《へや》を出《で》て行《い》った。

玄関脇《げんかんわき》の応接間《おうせつま》は、テレビのライトがつけられて、昼間《ひるま》のように明《あか》るくなっている。やがて、岩切《いわきり》の声《こえ》が聞《き》こえてきた。

「諸君《しょくん》、これはファシズムだ。あなた方《がた》マスコミは、盗聴《とうちょう》という卑劣《ひれつ》な手段《しゅだん》を弄《ろう》して政敵《せいてき》を倒《たお》そうとする、こういう行為《こうい》を断乎《だんこ》糺弾《きゅうだん》すべきではないか。私《わたし》は怒《おこ》っている、怒《おこ》っている。怒《おこ》っているぞお」

最後《さいご》は悲鳴《ひめい》になっていた。

『こちら解放区《かいほうく》。チミモウリョウの異次元空間《いじげんくうかん》からの実況放送《じっきょうほうそう》。おもしろかっただろう？　ではこれから、河川敷《かせんしき》の花火大会《はなびたいかい》に行《い》ってくれたまえ。そこには、解放区《かいほうく》からのメッセージが待《ま》っている。急《いそ》げ』

5

午後七時四十分《ごごしちじよんじっぷん》。

アパートのドアーをだれかがノックしている。

西脇由布子《にしわきゆうこ》は、一瞬《いっしゅん》息《いき》が止《と》まった。もし、酒井《さかい》だったらどうしようと思《おも》った。

「どなた?」

声《こえ》がかすれた。

「私《わたし》たちでーす」

生徒《せいと》たちの声《こえ》だ。とたんに肩《かた》が軽《かる》くなった。ドアーをあけると、橋口純子《はしぐちじゅんこ》、堀場久美子《ほりばくみこ》、中山《なかやま》ひとみの三人《さんにん》が立《た》っていた。

「あなたたちだったの。さあ、どうぞ」

「でも河川敷《かせんしき》、もう行《い》かなくちゃ……」

純子《じゅんこ》が言《い》った。

「そうだったわね」

由布子《ゆうこ》は、三人《さんにん》についてアパートを出《で》た。

「酒井先生《さかいせんせい》のことですけど……」

先《さき》を歩《ある》いていたひとみが、うしろをふりむいて言《い》った。

「谷本君《たにもとくん》に言《い》ったら、まかしとけと言《い》ったきり音《おと》沙汰《さた》なしじゃない。あなたたちがノックしたとき、酒井先生《さかいせんせい》だったらどうしようかと思《おも》って、ぎょっとなったわよ」

「もう大丈夫《だいじょうぶ》です。先生《せんせい》に手出《てだ》しはしませんから」

「どうして？」

「こらしめてやったんです」

「こらしめたって、何《なに》をしたのよ」

「足腰立《あしこした》たなくなるまで、こてんぱんに焼《や》き入《い》れてやったのさ」

久美子《くみこ》が言《い》うと、どことなく凄《すご》みがある。

「あなたたちが？」

「あたしたちができるわけないよ。うちの元気《げんき》のいい連中《れんちゅう》だよ」

「あなた、暴力《ぼうりょく》はいけないわ」

「別《べつ》にあたしたちが頼《たの》んだわけじゃないんだけど、行《い》きがかりでそういうことになっちゃったのさ」

三人《さんにん》は、顔《かお》を見合《みあ》わせてにやにやしている。

「どういうことなのかおしえて」

「じゃ、あたしが説明《せつめい》します」

ひとみが、ことのいきさつを説明《せつめい》した。

「へえ……。でもそんなことしたら、あなたたちがやったことばれちゃうじゃない？」

「ばれてもいいんです」

「盗聴器《とうちょうき》はどうしたの？」

「まだ、おやじのポケットに入《はい》ってるよ。みんな、必死《ひっし》で探《さが》してるってさ」

久美子《くみこ》が言《い》った。

由布子《ゆうこ》は、思《おも》わず笑《わら》いがこみ上《あ》げてきた。

「あなたたちったら……」あとは言葉《ことば》にならない。

「でも、もし盗聴《とうちょう》してたのがお父《とう》さんだとわかったら、いちばん困《こま》るのは、あなたのお父《とう》さんじゃない?」

「おやじをやっつけるためにやってるんだもん」

久美子《くみこ》は、憎々《にくにく》しげな目《め》を夜空《よぞら》に向《む》けた。

「あなた、そんなにお父《とう》さんが憎《にく》いの?」

「憎《にく》いよ。あんな奴《やつ》、セン公《こう》よりもっと憎《にく》い。これで会社《かいしゃ》がつぶれちゃえばちょうどいいんだ」

「そう……」

「盗聴《とうちょう》した本人《ほんにん》が、おやじだとわかったらどんな顔《かお》するかなあ。ほんとのこと言《い》ってやりたいよ」

久美子《くみこ》は乾《かわ》いた声《こえ》で笑《わら》った。

腹《はら》に響《ひび》くような音《おと》がつづけざまにした。次《つぎ》の瞬《しゅん》間《かん》、頭《あたま》の真上《まうえ》で華麗《かれい》な花《はな》が開《ひら》いた。

「はじまったよ、先生《せんせい》」

久美子《くみこ》が興奮《こうふん》した声《こえ》で言《い》った。ついいましがたの暗《くら》い表情《ひょうじょう》は、うそのように消《き》えている。四人《よにん》の足《あし》が自然《しぜん》に早《はや》くなった。

堤防《ていぼう》に出《で》ると、河原《かわら》が一望《いちぼう》のもとに見下《みお》ろせた。よく見《み》ると、いい場所《ばしょ》は人《ひと》で埋《う》めつくされている。

昼間《ひるま》の暑《あつ》さとは、うって変《か》わった涼《すず》しい風《かぜ》が頬《ほお》を撫《な》でる。久美子《くみこ》が、いつ買《か》ってきたのかソフトクリームを由布子《ゆうこ》にわたしてくれた。

四人《よにん》とも駆《か》けおりるようにして河原《かわら》におりた。

「先生《せんせい》、もう少《すこ》し向《む》こうへ行《い》こう」

久美子《くみこ》に引《ひ》っ張《ぱ》られるようにして、草《くさ》の上《うえ》を歩《ある》く。花火《はなび》は大小《だいしょう》とりまぜて、ひっきりなしに打《う》ち揚《あ》げられる。

「どこか、その辺《へん》で腰《こし》おろさない?」

由布子《ゆうこ》が言《い》うと、純子《じゅんこ》がビニールの風呂敷《ふろしき》を敷《し》いてくれた。

「ここに座《すわ》って」

由布子《ゆうこ》につづいて、三人《さんにん》が腰《こし》をおろした。

「先生《せんせい》、あっち見《み》て」

久美子《くみこ》は、堤防《ていぼう》の一角《いっかく》を指《ゆび》さした。黒々《くろぐろ》とつづく塀《へい》と建物《たてもの》が見《み》えた。

「あそこが解放区《かいほうく》じゃん」

「あれがそう……」

いつも正門《せいもん》の側《がわ》からしか見《み》ていないので、言《い》われなければ全然《ぜんぜん》わからない。由布子《ゆうこ》は黒《くろ》いシルエットに目《め》を凝《こ》らした。あの中《なか》に、二十一人《にじゅういちにん》の生《せい》徒《と》たちがいるのだ。

「もしもし、こちらナンバー35。どうぞ」

『こちらナンバー1、どうぞ』

耳《みみ》のそばで声《こえ》がしたので、ふり向《む》いて見《み》ると、久美子《くみこ》がトランシーバーで話《はな》している。

「だれと話《はな》してるの?」

「解放区《かいほうく》の相原君《あいはらくん》」

久美子《くみこ》は、ふたたびトランシーバーで話《はな》しはじめた。

「計画《けいかく》はトラ・トラ・トラ。トドは、KO《ケーオー》されて、まだひとみんちでのびてるよ」

『そうか、じゃあ、西脇先生《にしわきせんせい》はもう心配《しんぱい》ないな?』

「先生《せんせい》ここにいるから代《か》わるよ」

由布子《ゆうこ》はトランシーバーを受《う》け取《と》った。

「どうもありがとう。おかげで助《たす》かったわ」

『どういたしまして。ほんのお礼《れい》さ』
由布子《ゆうこ》は、胸《むね》がきゅっとつまって、次《つぎ》の言葉《ことば》が出《で》てこなくなった。
『先生《せんせい》、あと五分《ふん》ではじめるからね。屋上《おくじょう》から目《め》を離《はな》しちゃだめだよ』
「わかったわ」
『じゃ、これで切《き》るぜ』
由布子《ゆうこ》は、トランシーバーを久美子《くみこ》に返《かえ》した。
スターマインだ。激《はげ》しい音《おと》が連続的《れんぞくてき》にして、空《そら》も河原《かわら》も一度《いちど》に明《あか》るく輝《かがや》いた。すばらしい火《ひ》の洪《こう》水《ずい》だ。由布子《ゆうこ》は、何《なに》もかも忘《わす》れてそれに見《み》とれた。

花火《はなび》の命《いのち》はつかの間《ま》である。激《はげ》しく燃《も》え尽《つ》きたあとの、一瞬《いっしゅん》の静寂《せいじゃく》と闇《やみ》が河原《かわら》に訪《おとず》れた。

と、それを待《ま》っていたように、

『こちらは解放区《かいほうく》。いまからメッセージを送《おく》ります』

と屋上《おくじょう》のスピーカーから声《こえ》が流《なが》れた。河原《かわら》の人《ひと》たちの視線《しせん》が、いっせいに音《おと》のした方《ほう》に向《む》けられた。

屋上《おくじょう》に、火《ひ》と煙《けむり》があがった。何《なに》か、文字《もじ》のようなものが浮《う》き上《あ》がってきた。と見《み》る間《ま》に、

解放区《かいほうく》より愛《あい》をこめて

真《ま》っ赤《か》な文字《もじ》が、夜空《よぞら》にくっきりと浮《う》かび上《あ》がった。由布子《ゆうこ》は、感動《かんどう》で息《いき》がつまりそうになっ

た。これが、彼《かれ》らたちから自分《じぶん》へのメッセージなのか……。いつまでも消《き》えないで。

しかし、文字《もじ》は見《み》る間《ま》に燃《も》え尽《つ》き、ふたたび、もとの夜空《よぞら》にもどった。こんなに強烈《きょうれつ》で、こんなにはかないものが、ほかにあるだろうか。

「一生忘《いっしょうわす》れないわよ」

由布子《ゆうこ》は声《こえ》に出《だ》して言《い》ったのだが、いっせいに湧《わ》き起《お》こった拍手《はくしゅ》と歓声《かんせい》が、その声《こえ》をかき消《け》した。

「やった。やった」

久美子《くみこ》と純子《じゅんこ》とひとみは、手《て》を取《と》り合《あ》い、狂喜《きょうき》乱舞《らんぶ》している。

また花火《はなび》が上《あ》がって、三人《さんにん》の顔《かお》を赤《あか》く染《そ》めた。由布子《ゆうこ》にも、こんな時代《じだい》がたしかにあった。それはいつだったろう。ついこの間《あいだ》のような気《き》もするのに、もう手《て》の届《とど》かないところに去《さ》ってしまった。懐《なつ》かしさで、胸《むね》が切《せつ》なくなってきた。

踊《おど》っている三人《さんにん》の姿《すがた》がにじんで、やがて見《み》えなくなった。

背中《せなか》から、コンクリートのあたたかさが伝《つた》わってくる。英治《えいじ》は横《よこ》を見《み》た。相原《あいはら》がいる。その向《む》こうに安永《やすなが》もいる。全員《ぜんいん》が同《おな》じように寝《ね》ころんで、空《そら》を見上《みあ》げている。

「あんなに苦労《くろう》してつくったのに、あっという間《ま》に消《き》えちゃったな」

日比野《ひびの》が、気《き》の抜《ぬ》けたような声《こえ》で言《い》った。

「それが花火《はなび》ってもんさ」

立石《たていし》がさめた声《こえ》で言《い》った。

花火《はなび》がつづけざまに上《あ》がって、頭《あたま》の上《うえ》でいくつも花《はな》を咲《さ》かせた。

「みなさん、それでは私《わたし》はこれで失礼《しつれい》させていただきます。ほんとうに、いろいろありがとうございました。このご恩《おん》は生涯《しょうがい》忘《わす》れません」

闇《やみ》の中《なか》で、田中《たなか》の声《こえ》がした。

「おっさん、元気《げんき》でな」

柿沼《かきぬま》が言《い》った。

「みなさんも……」

田中《たなか》は声《こえ》がつまったのか、それきり声《こえ》はしなくなった。

みんなも黙《だま》って花火《はなび》を眺《なが》めていた。

やがて、花火《はなび》は次第《しだい》に間遠《まどお》になり、ぱたりと止《や》んだ。

「こんやが最後《さいご》の夜《よる》だな」

相原《あいはら》が、ぽつりと言《い》った。

「楽《たの》しかったぜ」

安永《やすなが》が、しみじみとした声《こえ》で言《い》った。

「おれも……」

宇野《うの》の声《こえ》は底抜《そこぬ》けに明《あか》るい。

「おれは、まだそこまで行《い》かねえや」

柿沼《かきぬま》は、欲求《よっきゅう》不満気味《ふまんぎみ》だ。

それまで気《き》づかなかった星《ほし》が、はっきり見《み》え出《だ》した。

「あの星《ほし》にくらべたら、人間《にんげん》の一生《いっしょう》なんて花火《はなび》みたいなもんだな」

小黒《おぐろ》は、死《し》んだおやじのことでも思《おも》い出《だ》したのだろうか。英治《えいじ》は、何《なに》か言《い》おうと思《おも》ったけれど言《こと》葉《ば》が見《み》つからない。

「あ、流《なが》れ星《ぼし》だ」

英治《えいじ》は、つい大《おお》きい声《こえ》になった。

「どこに?」

みんなが騒《さわ》ぎはじめたときには、もう星《ほし》は消《き》えていた。

七日《なのか》　撤退《てったい》

1

午前五時《ごぜんごじ》。

最後《さいご》の夜《よる》だと思《おも》うと、みんな寝《ね》つかれないらしく、真《ま》っ暗《くら》な中《なか》で、いつ果《は》てるともないお喋《しゃべ》りがつづいた。

おかげでけさは、みんな腫《は》れぼったい目《め》をして起《お》きてきた。

英治《えいじ》は、まだ半分《はんぶん》眠《ねむ》ったまま、ふらつく足取《あしど》りで屋上《おくじょう》にのぼった。手摺《てすり》に両腕《りょううで》をかけて河原《かわら》を見下《みお》ろした。

涼《すず》しい風《かぜ》。T《ティー》シャツ一枚《いちまい》だと、腕《うで》に鳥肌《とりはだ》が立《た》ってきそうになる。思《おも》いきり息《いき》を吸《す》いこんだ。

朝《あさ》の陽光《ようこう》が川面《かわも》にあたって、きらきらと輝《かがや》いている。いつもは交通量《こうつうりょう》の多《おお》いN《エヌ》橋《はし》も、早朝《そうちょう》のせいか車《くるま》の数《かず》は少《すく》ない。

きのうの夜《よる》、あんなに人《ひと》で埋《う》めつくされた河原《かわら》は、いまひっそりと静《しず》まりかえっている。犬《いぬ》をつれて散歩《さんぽ》している人《ひと》と、ジョギングしている人《ひと》の二《ふた》つだけしか人影《ひとかげ》はない。

そばに相原《あいはら》がやってきた。相原《あいはら》も、英治《えいじ》と並《なら》んで同《おな》じように河原《かわら》に目《め》をやっている。

「あッという間《ま》に過《す》ぎちゃったな」

「うん」

相原《あいはら》は、遠《とお》くに目《め》をやったまま うなずいた。

「まだちょっとやり足《た》りねえ気《き》もするけど、でもおもしろかったぜ」

「うん」

何《なに》か、ほかのことに気《き》を取《と》られているみたいな、そっけない返事《へんじ》だ。

「お前《まえ》、何《なに》を考《かんが》えてるんだ？ 攻《せ》めて来《く》るポリ公《こう》のことか。それとも、その先《さき》のことか？」

「ちがうよ」

「じゃ、なんだ?」

「安田講堂《やすだこうどう》の最後《さいご》の日《ひ》、おれのおやじとおふくろは、何《なに》を考《かんが》えてたのかなと思《おも》ってたんだ」

「そんなこと考《かんが》えてたのか……」

英治《えいじ》は、この一週間《いっしゅうかん》で相原《あいはら》のことをあらためて見直《みなお》した。相原《あいはら》は、ガリ勉《べん》ではないけれど、頭《あたま》もいいし行動力《こうどうりょく》もある。それに、考《かんが》えていることが、英治《えいじ》なんかよりはるかに深《ふか》いのだ。これで同《おな》じ年齢《とし》とはとても思《おも》えない。

「安田講堂《やすだこうどう》では、みんな降参《こうさん》したけれど、おれたちは、そうじゃねえもんな」

「ここへ攻《せ》めこんできたポリ公《こう》は、おれたちが消《き》えちゃってるんでおどろくぜ」

相原《あいはら》と顔《かお》を見合《みあ》わせると、どちらからともなく笑《わら》いがこみ上《あ》げてくる。

「おれたちがここを引《ひ》き揚《あ》げるのは、ゲリラで言《い》えば戦略《せんりゃく》なんだからな」

これは、瀬川《せがわ》が言《い》った言葉《ことば》だ。

「おれ、どう考《かんが》えても不思議《ふしぎ》なんだけど、みんながどうして、いっしょにやる気《き》になったのかな」

「そうだよな。はじめはいいとしても、こんな生活《せいかつ》してたら、二《に》、三日《さんにち》したら文句《もんく》が出《で》るのが当《あ》たり前《まえ》だと思《おも》うんだ。それが全然出《ぜんぜんで》なかったもんな」

相原《あいはら》は、河原《かわら》に目《め》をやりながら言《い》った。

「文句言《もんくい》わないどころか、いまではみんな固《かた》く団結《だんけつ》してるぜ」

「やっぱり、やってよかったな」

「そうさ」

遠《とお》くに人影《ひとかげ》が二《ふた》つ見《み》えた。こちらに向《む》かって手《て》を振《ふ》っている。英治《えいじ》もそれにこたえた。相原《あいはら》は、トランシーバーをオンにした。

「こちら相原《あいはら》と菊地《きくち》だ。どうぞ」

『こちらは橋口《はしぐち》と堀場《ほりば》。きのうはすばらしかったわね。あたし興奮《こうふん》しちゃって、夜《よる》いつまでたっても眠《ねむ》れなかったわよ』

「おれたちだってそうさ。西脇先生《にしわきせんせい》喜《よろこ》んでたか？」

『喜《よろこ》んでたわよ。感激《かんげき》して泣《な》いてたわ』

とたんに、英治《えいじ》はぐっときた。

「そうか……。堀場《ほりば》んちのおやじ、どうだった?」

『おやじが、あんなにメロメロになったのはじめて見《み》たよ。いい気味《きみ》だったなあ』

「盗聴器《とうちょうき》、ばれなかったか?」

『無事回収《ぶじかいしゅう》さ。もし自分《じぶん》が盗聴犯人《とうちょうはんにん》だってわかったら、気《き》が狂《くる》ったかもね。そうしてやればよかった』

「盗聴器《とうちょうき》が見《み》つかりゃ、お前《まえ》が入《い》れたことすぐわかっちゃうじゃんか」

『実《じつ》は、娘《むすめ》が犯人《はんにん》だったなんて……』

「半殺《はんごろ》しにされるぜ」

『それはいいんだけど、ひとみが疑《うたが》われてんのよ』

久美子《くみこ》は声《こえ》を落《お》とした。

「どうして？」

『だって、放送《ほうそう》したじゃん。そうすれば、あたしたちのだれかが盗聴器《とうちょうき》をセットしたことくらい、ばかでもわかるよ』

「そうか。ひとみは〝玉《たま》すだれ〟の娘《むすめ》だからな……。そいつはヤバイことになったな」

相原《あいはら》は英治《えいじ》の顔《かお》を見《み》た。

『でも心配《しんぱい》することはないよ。きのう、あれだけ探《さが》しても盗聴器《とうちょうき》は見《み》つからなかったんだから……。それに、いまは犯人探《はんにんさが》しどころじゃないよ』

「頭《あたま》にきてるか?」

『頭《あたま》にきてるなんてもんじゃないよ。九時《くじ》になったら、セン公《こう》と親《おや》たちがそこに行《い》くよ』

「何《なに》しに来《く》るんだ？」

『最後通牒《さいごつうちょう》を手《て》わたすんだって』

「言《い》うことを聞《き》かなければ攻撃《こうげき》か？」

『そうよ』

久美子《くみこ》と純子《じゅんこ》が緊張《きんちょう》した声《こえ》で言《い》った。

「時間《じかん》は？」

『攻撃開始《こうげきかいし》は十時《じゅうじ》』

「いよいよか。テレビにおしえてやってくれよ」

『わかったよ。そこで血《ち》を見《み》るまで戦《たたか》うつもり？』

「テレビにはそう言《い》っといてくれよ。おれたちは、解放区《かいほうく》で玉砕《ぎょくさい》するって」

『本気《ほんき》じゃないよね？』

純子《じゅんこ》の声《こえ》が変《か》わった。

「ジョークにきまってるだろう。だれが、そんなドジをやるかってんだ。十時十分《じゅうじじっぷん》になったら、児童公園《じどうこうえん》で待《ま》っていてくれよ」

『そうかあ。そういうことだったの。いいよ、女子全員《じょしぜんいん》で待《ま》ってるよ。それからどうするの？』

「川《かわ》へ行《い》って、向《む》こう岸《ぎし》から見物《けんぶつ》するのさ」

『すてきィ』

「そのとき、食《く》い物《もの》を持《も》ってきてくれよ。おれたち、ろくなもの食《く》ってねえんだ」

『うん。いっぱい持《も》っていってあげる』

「じゃあ、解放区《かいほうく》より愛《あい》をこめて。バイバイ」

『バイバイ』

久美子《くみこ》の声《こえ》がはずんでいた。

屋上《おくじょう》からおりると、英治《えいじ》と相原《あいはら》のまわりにみんなが集《あつ》まってきた。やはり、最後《さいご》が近《ちか》づいてきたので、どの顔《かお》も緊張《きんちょう》している。

「まず、九時《くじ》にセン公《こう》と親《おや》たちがやってくる」

「何《なに》しにくるんだ?」

「降参《こうさん》して、おとなしく出《で》てこいって言《い》いにくるのさ」

「呆《あき》れたもんだぜ。まだおれたちがそんなこと聞《き》くと、思《おも》ってんのかな」

安永《やすなが》は、グリコした。

「それを断《ことわ》ると、十時《じゅうじ》に、いよいよポリ公《こう》が攻《せ》めてくる」

宇野《うの》が、目《め》を見開《みひら》いて、つばを飲《の》みこんだ。

「それからは打《う》ち合《あ》わせどおりだ」

「おれたちがいると思《おも》って、突《つ》っ込《こ》んできたらだれもいねえ。こいつは絶対《ぜったい》おどろくぜ。天野《あまの》、実況《じっきょう》放送《ほうそう》は超《ちょう》過激《かげき》にやってくれよ」

日比野《ひびの》が言《い》った。

「おおぉっと、子《こ》どもたちがおりません。これはいったい、どうしたことでありましょうか。どこを捜《さが》しても猫《ねこ》の子《こ》一匹《いっぴき》見《み》あたりません。さっきまでは、たしかにおりました。まわりは警官《けいかん》で固《かた》めて、逃《に》げ出《だ》すことは絶対不可能《ぜったいふかのう》であります。ところが、子《こ》どもはいないのです。大都会《だいとかい》のブラックホールは、子《こ》どもたちを呑《の》みこんだのでしょうか。それとも、アインシュタインの相対性理論《そうたいせいりろん》、異次元空間《いじげんくうかん》にタイムスリップしたのか。こんな不思議《ふしぎ》なことが、かつて地球上《ちきゅうじょう》で起《お》きたことがあるでしょうか？　まさに、空前絶後《くうぜんぜつご》のアクシデントが起《お》こったのであります。これを神隠《かみかく》しと言《い》ったらいいか、この超常現象《ちょうじょうげんしょう》を説明《せつめい》する言葉《ことば》を私《わたし》は持《も》ち合《あ》わせておりません。しかし、これは紛《まぎ》れもない事実《じじつ》なのであります。子《こ》どもたちは消《き》えた。子《こ》どもたちはどこへ行《い》ったのだ？　子《こ》どもたちよ帰《かえ》ってこい」

しばらく拍手《はくしゅ》が鳴《な》りやまなかった。

「台本《だいほん》がないから、まあこんなところだ」

天野《あまの》は、まだ不満《ふまん》そうな顔《かお》をしている。

瀬川《せがわ》がふらりとやってきた。

「君《きみ》たちとも、きょうでお別《わか》れだな」

「おじいさん、これからどうするの？」

英治《えいじ》は、瀬川《せがわ》が急《きゅう》に老《ふ》けこんだように見《み》えて、
それが気《き》になった。

「さあ、どうするかまだ決《き》めておらん」

「家《いえ》に帰《かえ》ったら？」

瀬川《せがわ》は、遠《とお》くに目《め》をやったまま返事《へんじ》をしなかった。

「おれ、一度《いちど》謝《あやま》ろうと思《おも》ってたんだ。勘弁《かんべん》してくれよな」

安永《やすなが》が、照《て》れくさそうに頭《あたま》を下《さ》げた。

「なんのことだ?」

瀬川《せがわ》は、おだやかな顔《かお》で安永《やすなが》を見《み》つめた。

「最初《さいしょ》のとき、ひどいこと言《い》っちゃったじゃんか」

「ああ、あのことか。人間《にんげん》は年《とし》をとると、だれでも汚《きたな》くなって邪魔《じゃま》ものになる。これはしかたないことだ。気《き》にしとりゃせんよ」

「そう思《おも》ってたんだけど、見直《みなお》したんだ」

「少《すこ》しは役《やく》に立《た》ったか?」

「うん。ずいぶん助《たす》けてもらったもんな」

「お前《まえ》はいい奴《やつ》だ」

瀬川《せがわ》は、安永《やすなが》の肩《かた》に手《て》を置《お》いた。

「おれ、そんなこと言《い》われたの生《う》まれてはじめてだぜ」

「わしの言《い》うことにまちがいはない」

「それは信《しん》じてもいいと思《おも》うぜ。なんてったって、戦争《せんそう》で生《い》き残《のこ》ったんだもんな」

日比野《ひびの》が言《い》った。

「戦争《せんそう》には、どんなことがあっても行《い》くなよ」

「行《い》かないよ。死《し》にたかないもん」

「わしも長《なが》いこと生《い》きたが、君《きみ》たちと過《す》ごしたこの一週間《いっしゅうかん》ほど、楽《たの》しいときはなかった」

「ほんと？」

「君《きみ》たちみたいな子《こ》どもに会《あ》えて、わしは幸《しあわ》せだと思《おも》っとる。もう思《おも》い残《のこ》すことはない」

「おれたちだって、そう思《おも》ってるよ。なあ」

英治《えいじ》は、みんなに向《む》かって言《い》った。

「そうだぜ」

安永《やすなが》が真《ま》っ先《さき》にうなずいた。

「嬉《うれ》しいことを言《い》ってくれるじゃないか。そんな言《こと》葉《ば》を聞《き》いたのはいつのことだったか思《おも》い出《だ》せん」

「おじいさん、長生《ながい》きしてくれよ。また力《ちから》を借《か》りることがあるかもしれねえから」

「よし、よし。そのときはいつでも呼《よ》んでくれ」

瀬川《せがわ》は目《め》を細《ほそ》めて、みんなの顔《かお》をなめるように見《み》ていった。

2

午前八時五十分《ごぜんはちじごじっぷん》。

『もしもし、こちらナンバー35、どうぞ』

「こちらナンバー1、どうぞ」

『いま、セン公《こう》と親《おや》がそちらへ出《で》かけたよ。あと十分《じっぷん》で到着《とうちゃく》するからね。どうぞ』

「了解《りょうかい》、了解《りょうかい》」

『では、健闘《けんとう》を祈《いの》ります』

午前九時《ごぜんくじ》。

「きたぞォ」

見張《みは》り台《だい》の日比野《ひびの》がどなった。その声《こえ》で、十人《じゅうにん》は二階《にかい》に、あとの十人《じゅうにん》は、正門《せいもん》の内側《うちがわ》に築《きず》いたバリケードにのぼった。

英治《えいじ》は、非常階段《ひじょうかいだん》を二階《にかい》に駆《か》け上《のぼ》り、窓《まど》から首《くび》を出《だ》した。

教頭《きょうとう》の丹羽《にわ》を先頭《せんとう》に、生活指導主任《せいかつしどうしゅにん》の野沢《のざわ》、担任《たんにん》の八代《やしろ》の姿《すがた》が見《み》えたが、校長《こうちょう》と体育《たいいく》の酒井《さかい》がいない。おそらく、きのうのショックで出《で》てこられないにちがいない。

そのあとに、母親《ははおや》たちが何十人《なんじゅうにん》も、金魚《きんぎょ》のうんこみたいについてくる。

「日比野《ひびの》、〝炎《ほのお》のファイター〟を流《なが》せ」

相原《あいはら》が言《い》った。日比野《ひびの》は、うなずいてテープレコーダーのスイッチを入《い》れた。とたんに、正門脇《せいもんわき》にセットしたスピーカーから、〝炎《ほのお》のファイター〟が流《なが》れ出《だ》した。

すると不思議《ふしぎ》なことに、それまで葬式《そうしき》の行列《ぎょうれつ》みたいに、しょんぼり歩《ある》いていた集団《しゅうだん》が、プロレス会場《かいじょう》に入《はい》ってくる維新軍団《いしんぐんだん》に変質《へんしつ》した。さすがに〝炎《ほのお》のファイター〟である。

「こいつはヤバイぜ。曲《きょく》を止《と》めた方《ほう》がいい」

相原《あいはら》が言《い》うと同時《どうじ》に、曲《きょく》は止《と》まった。

おとなたちは、正門《せいもん》の前《まえ》にかたまった。

「諸君《しょくん》」

と丹羽《にわ》が、ハンドマイクで語《かた》りかけた。

「校長《こうちょう》はどうした？」

宇野《うの》が言《い》った。この一週間《いっしゅうかん》で、いちばん変《か》わったのは宇野《うの》かもしれない。それまでのひ弱《よわ》さはすっかり消《き》えて、見《み》ちがえるようにたくましくなった。

「校長先生《こうちょうせんせい》は都合《つごう》があって、きょうはこられない」

「うそをつくな。きのうのことが恥《は》ずかしくて、顔《かお》が出《だ》せねえんだろう」

みんなが拍手《はくしゅ》した。

「君《きみ》たちは、ああいうことをしていいと思《おも》ってるのか？」

丹羽《にわ》は、かなり興奮《こうふん》している。

「それじゃ聞《き》くけど、市長《しちょう》とか校長《こうちょう》は、ああいう会合《かいごう》に出《で》てもいいのか?」

ハンドマイクをにぎったまま、丹羽《にわ》が絶句《ぜっく》した。

「どうした? 早《はや》く答《こた》えろよ」

宇野《うの》は鋭《するど》く迫《せま》る。

「それとこれとは別問題《べつもんだい》だ。君《きみ》たちは、まだ子《こ》どもだぞ」

「子《こ》どもだっておとなだって、わるいことはわるい。そうじゃねえのか?」

「それはそうだが……」

「どうして、子《こ》どもだけマジにしてなきゃいけねえんだ？　理由《りゆう》を言《い》ってみろよ。理由《りゆう》を」

「すげえなあ、あいつ」

相原《あいはら》は、英治《えいじ》の耳《みみ》に囁《ささや》いた。

宇野《うの》の母親《ははおや》千佳子《ちかこ》が、見《み》かねたように、丹羽《にわ》のハンドマイクをもぎとった。

「秀《ひで》ちゃん、あなた、教頭先生《きょうとうせんせい》に対《たい》してなんてことを言《い》うの？　あなたはそんな子《こ》じゃなかったわ。どうかしちゃったのね」

「悪魔《あくま》がとりついたんだよ。あんたを食《く》っちまうかもしれねえぜ」

千佳子《ちかこ》は、「きゃッ」と言《い》ったかと思《おも》うと、うしろに倒《たお》れかかった。それを父親《ちちおや》の秀介《しゅうすけ》が受《う》けとめた。

「秀明《ひであき》、いい加減《かげん》にしろ」

「ジョークもわかんない女《おんな》にしたのは、夫《おっと》の責任《せきにん》だぜ」

「黙《だま》れ！　親《おや》に対《たい》してその口《くち》の利《き》きようはなんだ！」

「口《くち》の利《き》きようをおしえたことがあるのかよう。明《あ》けても暮《く》れても、会社《かいしゃ》、会社《かいしゃ》、会社《かいしゃ》。おれと、まともに口利《くちき》いたことなんてねえじゃんか」

「パパは、お前《まえ》を幸《しあわ》せにする為《ため》に働《はたら》いてるんだ。それがわからんのか」

秀介《しゅうすけ》は、興奮《こうふん》のためか舌《した》がうまくまわらないようだ。

「おれたちは、いまちっとも幸《しあわ》せじゃねえぜ」

「いまは、親《おや》や先生《せんせい》の言《い》うことを聞《き》いて、いっしょうけんめい勉強《べんきょう》する。そうすればきっと幸《しあわ》せになれる」

「見《み》てきたようなこと言《い》っちゃって。そんなこと、だれも信用《しんよう》してねえよ」

「うそだ。そんなことはないッ」

秀介《しゅうすけ》は絶叫《ぜっきょう》した。

「信《しん》じたければ、信《しん》じてりゃいいだろう。そのか

わり、あとでこんなはずじゃなかったって、文句《もんく》
言《い》うなよ」
「もういい。お前《まえ》みたいな者《もの》は子《こ》どもとは思《おも》わん」
「ところが、そうはいかねえんだな。あんた、児《じ》
童福祉法《どうふくしほう》ってのを知《し》ってるかい？」
「親《おや》に向《む》かって、あんたとはなんだ」
「おこってごまかそうったってだめさ。児童福祉《じどうふくし》
法《ほう》の一条《いちじょう》にこう書《か》いてあるんだ。すべて児童《じどう》は、
ひとしくその生活《せいかつ》を保障《ほしょう》され、愛護《あいご》されなければ

ならない。どう？　愛護《あいご》ってのは、かわいがって、かばい守《まも》ることだぜ」

「そうだ、そうだ」

　みんなが、いっせいに喚声《かんせい》をあげた。

「ついでにもう一《ひと》つ。第二条《だいにじょう》にはこう書《か》いてあるんだ。国及《くにおよ》び地方公共団体《ちほうこうきょうだんたい》は、児童《じどう》の保護者《ほごしゃ》とともに、児童《じどう》を心身《しんしん》ともに健《すこ》やかに育成《いくせい》する責《せき》任《にん》を負《お》う。これじゃ、おれを捨《す》てられっこないぜ。お気《き》の毒《どく》さま」

秀介《しゅうすけ》は、処置《しょち》なしといったしぐさで、マイクを野沢《のざわ》にわたした。

「君《きみ》たちはそこに立《た》てこもって、やりたい放題《ほうだい》のことをしてきた。われわれは、何度《なんど》やめろと言《い》ったかしれない。しかし、君《きみ》たちは、いっこうに言《い》うことを聞《き》こうとしなかった。君《きみ》たちが、まだ子《こ》どもであるという理由《りゆう》で、これまで我慢《がまん》してきたが、それも限界《げんかい》に達《たっ》した。もし、君《きみ》たちがいますぐここから出《で》てこないならば、一時間後《いちじかんご》に強制《きょうせい》的《てき》に排除《はいじょ》することになる」

「子《こ》どもの城《しろ》に、おとながなぐり込《こ》みをかけるっていうのか？　上等《じょうとう》だ。受《う》けて立《た》とうじゃねえか」

安永《やすなが》がタンカをきった。

「君《きみ》たちが、おとなに勝《か》てるわけはない。これだけやればもういいだろう。おとなしく出《で》てきたまえ。いまなら、君《きみ》たちの罰《ばつ》も軽《かる》くてすむ」

「言《い》うことはそれだけかい？」

「そうだ」

「じゃあ、帰《かえ》ってもらいましょう」

相原《あいはら》が言《い》ったとき、角《かど》を曲《ま》がってくるテレビ中《ちゅう》継車《けいしゃ》が見《み》えた。

「テレビがきたぞ」

英治《えいじ》は、相原《あいはら》に耳《みみ》うちした。

父《と》っちゃん坊《ぼう》やの矢場《やば》勇《いさむ》が、マイクを手《て》にして、停《と》まった中継車《ちゅうけいしゃ》から出《で》てきた。子《こ》どもたちが、それを見《み》て拍手《はくしゅ》した。

「やあ、君《きみ》たちこんにちは」

「こんにちは」

みんなが口《くち》をそろえて言《い》うと、矢場《やば》は、すっかり上機嫌《じょうきげん》になった。

「みんな、元気《げんき》がいいな」

「あったりまえさ。そっちに元気《げんき》のわるい顔《かお》が並《なら》んでるから、撮《うつ》してやりなよ」

また、宇野《うの》が言《い》った。

「子《こ》どもたちは、どうしてこんなに威勢《いせい》がいいんですか?」

矢場《やば》は、マイクを丹羽《にわ》に向《む》けた。

「われわれが何《なに》もできないと思《おも》って、たかをくくっているのです」

丹羽《にわ》は、憮然《ぶぜん》として言《い》った。

「では、説得《せっとく》は失敗《しっぱい》したわけですね？」

「全然《ぜんぜん》、聞《き》く耳《みみ》を持《も》たないんです。全員《ぜんいん》が狂気《きょうき》の集団《しゅうだん》と化《か》してしまったのです」

「これからどうしますか？」

「このまま放置《ほうち》しておくわけにはいかないでしょ

う」

丹羽《にわ》の声《こえ》が小《ちい》さくなった。

「警官《けいかん》を導入《どうにゅう》するんですね？」

「そういうことになります」

「父兄《ふけい》の方《かた》は、それで納得《なっとく》しているんですか？」

矢場《やば》は、マイクを宇野《うの》の父親《ちちおや》秀介《しゅうすけ》に向《む》けた。

「いたしかたありません」

秀介《しゅうすけ》は、天《てん》を仰《あお》いで言《い》った。矢場《やば》は、次《つぎ》にマイクを英治《えいじ》の母親《ははおや》詩乃《しの》に向《む》けた。

「警官《けいかん》の導入《どうにゅう》は絶対反対《ぜったいはんたい》です。あの子《こ》たちは、まだ中学一年生《ちゅうがくいちねんせい》ですわよ。むかしの安田講堂《やすだこうどう》とはわけがちがいます」

「遊《あそ》びだとおっしゃりたいんですか？」

「そうですわ。子《こ》どもたちがいったい何《なに》をしたっていうんですの？」

「何《なに》をしたじゃありませんよ。校長先生《こうちょうせんせい》は、ショックで血圧《けつあつ》が上《あ》がって、寝《ね》こんでしまわれました」

野沢《のざわ》が、顔《かお》を真《ま》っ赤《か》にして言《い》った。

「それは自業自得《じごうじとく》というものですわ。大体《だいたい》、マスコミでも、子《こ》どもがわるいわるいと言《い》いますけれど、非行少年《ひこうしょうねん》は全体《ぜんたい》の一割《いちわり》にもなりませんわ。それにくらべて、お坊《ぼう》さんはどうですか、九割《きゅうわり》が脱税《だつぜい》しているというじゃありませんか。一割《いちわり》と九割《きゅうわり》ですよ。子《こ》どもに文句言《もんくい》う前《まえ》に、どうしてお坊《ぼう》さんに文句言《もんくい》わないんですか?」

「おっしゃるとおりです。ほんとうにけしからん。

こんどは必《かなら》ず坊主《ぼうず》をぶっ叩《たた》きます」

矢場《やば》は、詩乃《しの》にすっかり乗《の》せられた。

「いいぞ、いいぞ」

解放区《かいほうく》の内《うち》と外《そと》で、子《こ》どもたちが喚声《かんせい》をあげた。

「あの連中《れんちゅう》は、もう普通《ふつう》の子《こ》どもではありません。ある日《ひ》、正常《せいじょう》な細胞《さいぼう》が突然《とつぜん》ガン細胞《さいぼう》に変《か》わるみたいに、変《か》わってしまったのです。すぐに切《き》り取《と》って処置《しょち》しなければ手《て》おくれになります」

「あなたは、お父《とう》さんですか？」

「そうです」

秀介《しゅうすけ》は答《こた》えた。

「ご職業《しょくぎょう》は？」

「サラリーマンです」

「じゃ、会社《かいしゃ》を休《やす》んでこられたんですか？」

「私《わたし》はこれまで、プライベートなことで会社《かいしゃ》を休《やす》んだことは一度《いちど》もありません。休《やす》んだのはきょうがはじめてです」

「なぜ、休《やす》んでまでいらっしゃったのですか?」

「この目《め》で、子《こ》どもたちの実態《じったい》をたしかめ、説得《せっとく》しようと思《おも》ったからです。しかし、だめでした」

秀介《しゅうすけ》は、がっくりと肩《かた》を落《お》とした。

「失礼《しつれい》ですが、あなたは学生運動《がくせいうんどう》をしたことありますか?」

「あります」

「当時《とうじ》をふりかえって、どう考《かんが》えていらっしゃいますか?」

「あれは一時《いちじ》の幻想《げんそう》でした。白昼夢《はくちゅうむ》みたいなものです」

「いま、お子《こ》さんが解放区《かいほうく》をつくったことに、どんな感想《かんそう》をお持《も》ちですか?」

「はっきり言《い》って、ショックでした。ガンの宣告《せんこく》を受《う》けたのと同《おな》じくらい」

秀介《しゅうすけ》は、水《みず》をかぶったみたいに汗《あせ》だらけになっていた。

「ガン細胞《さいぼう》はひどいわ」

詩乃《しの》が言《い》った。

「警官導入《けいかんどうにゅう》については、もう何日《なんにち》も父兄《ふけい》の方《かた》とお話《はな》し合《あ》いをしました。その結果《けっか》、本日《ほんじつ》の午前九時《ごぜんくじ》をタイムリミットとしたのです」

矢場《やば》は、マイクを丹羽《にわ》から解放区《かいほうく》に向《む》けた。

「君《きみ》たちは、どうしてもそこから出《で》てこないつもりか?」

子《こ》どもたちは答《こた》えず、かわりに、二階《にかい》の窓《まど》から垂《た》れ幕《まく》がするするとおりてきた。

我々《われわれ》は玉砕《ぎょくさい》の道《みち》を選《えら》んだのではない。我々《われわれ》のあとに必《かなら》ず我々《われわれ》以上《いじょう》の勇気《ゆうき》ある若者《わかもの》が、解放区《かいほうく》において、全日本全世界《ぜんにほんぜんせかい》で怒濤《どとう》の進撃《しんげき》を開始《かいし》するであろうことを固《かた》く信《しん》じているからこそ、この道《みち》を選《えら》んだのだ。

矢場《やば》は、垂《た》れ幕《まく》の文字《もじ》を、声《こえ》を出《だ》して読《よ》んだ。

「みなさん、この言葉《ことば》は、かつて安田講堂《やすだこうどう》の壁《かべ》に書《か》き残《のこ》されていた落書《らくが》きです。あれから十五年《じゅうごねん》、いまノンセクト・ラジカルの亡霊《ぼうれい》が甦《よみがえ》ったのです。どうやら、彼《かれ》らはここ解放区《かいほうく》を死守《ししゅ》するつもりのようです。その結果《けっか》がどうなるか、それは予《よ》測《そく》がつきませんが、おそらく、目《め》を蔽《おお》う惨状《さんじょう》を呈《てい》するのではないかと思《おも》われます。攻撃開始時刻《こうげきかいしじこく》は十時《じゅうじ》。そのときは刻々《こっこく》と迫《せま》りつつあります。みなさん、どうか十時《じゅうじ》まで、テレビを切《き》らずにお待《ま》ちください」

子《こ》どもたちの間《あいだ》から拍手《はくしゅ》が起《お》こった。

3

午前九時三十分《ごぜんくじさんじっぷん》。

「みんな、そこへ座《すわ》って聞《き》いてくれねえか」

相原《あいはら》のまわりに、全員《ぜんいん》が輪《わ》になっていたが、その言葉《ことば》で、みんな広場《ひろば》に腰《こし》をおろした。アスファルトが灼《や》けて、尻《しり》が熱《あつ》かった。

「あと三十分《さんじっぷん》で、ポリ公《こう》が攻《せ》めてくる」

太陽《たいよう》に向《む》けた相原《あいはら》の顔《かお》に、汗《あせ》の玉《たま》が浮《う》いている。

英治《えいじ》は、頬《ほお》が勝手《かって》にふるえ出《だ》した。

「もちろん、おれたちはポリ公《こう》とまともに戦《たたか》うほどばかじゃない」

英治《えいじ》はうなずいた。

「そこで、五人《ごにん》だけここに残《のこ》って、残《のこ》りはいまからここを出《で》てもらう」

「おれ、残《のこ》らしてくれよ」

天野《あまの》が言《い》った。

「残《のこ》るのは、おれ、菊地《きくち》、安永《やすなが》、立石《たていし》、中尾《なかお》の五人《にん》だ」

「どうして、おれを残《のこ》してくんないんだよ」

天野《あまの》は、ふくれた顔《かお》をした。

「天野《あまの》には解放区放送《かいほうくほうそう》をやってもらわなけりゃならねえ。ここを出《で》たら、日比野《ひびの》と二人《ふたり》ですぐに隣《となり》のビルの屋上《おくじょう》に行《い》ってくれ」

「そうか、そういうことならしかたねえや。実況《じっきょう》は過激《かげき》にやっていいんだな?」

「もちろんさ。最後《さいご》の解放区放送《かいほうくほうそう》だからな。どこで終《お》わらすかは、トランシーバーで連絡《れんらく》する。さあ、早《はや》く行《い》ってくれよ」

「よし、じゃあ出《で》かけるぞ」

天野《あまの》と日比野《ひびの》は立《た》ち上《あ》がった。

「これが最後《さいご》だと思《おも》うと、見《み》るものすべて懐《なつ》かしいぜ」

天野《あまの》は、そう言《い》いながら、まわりをぐるりと見《み》まわした。それから、ゆっくりとマンホールの方《ほう》へ歩《ある》いて行《い》った。

「よし、じゃあ、みんなもそろそろ出《で》かけてくれ。言《い》っとくけど、おれたちは負《ま》けて逃《に》げるんじゃない。やるだけのことをやったから、ここから転進《てんしん》するんだ」

「そうだぞ。おれたちは負《ま》けたんじゃねえんだからな」

安永《やすなが》が大《おお》きい声《こえ》で言《い》った。

「わかってるって」

天野《あまの》は、マンホールから首一《くびひと》つ出《だ》して言《い》うと姿《すがた》を隠《かく》した。

「お前《まえ》とタローもよく働《はたら》いてくれたぜ」

相原《あいはら》は、佐竹俊郎《さたけとしろう》とタローの頭《あたま》を撫《な》でた。

「また、こんどやるとき呼《よ》んでね」

俊郎《としろう》は、兄《あに》の哲郎《てつろう》につづいてマンホールへ向《む》かった。

宇野《うの》がやってきて、相原《あいはら》、安永《やすなが》、英治《えいじ》の手《て》を順《じゅん》ににぎった。

「ありがとうよ」

「お礼《れい》はおたがいさまさ。お前《まえ》がいちばん変《か》わったぜ」

安永《やすなが》が言《い》った。

「そうか……」

宇野《うの》は、皓《しろ》い歯《は》を出《だ》して笑《わら》った。いかにも嬉《うれ》しそうな顔《かお》をしている。

「おれってさ、シマリスみたいにいつもびびってばかりいただろう。自分《じぶん》でもいやだったんだ。それが、みんなといっしょにやってるうちに、おっかないものがなくなっちゃったんだよ。どうしてかな」

「お前《まえ》はもう、シマリスじゃなくてコブラだ」

「そうだ。これから宇野《うの》はコブラにしよう」

相原《あいはら》が言《い》った。

「コブラって、ちょっと陰険《いんけん》な感《かん》じがいやだけど、まあいいや。じゃあ、川《かわ》で待《ま》ってるぜ」

宇野《うの》につづいて、一人《ひとり》ずつマンホールに入《はい》って行《い》く。五分《ごふん》ほどで、五人《ごにん》と瀬川《せがわ》だけになってしまった。

「おじいさんも早《はや》く行《い》きなよ」

英治《えいじ》が言《い》った。

「いや、わしは君《きみ》たちが出《で》たあと、最後《さいご》にここを引《ひ》き揚《あ》げる」

「もたもたしてて、ポリ公《こう》につかまったらたいへんだぜ」

「つかまるもんか。わしは、戦争《せんそう》の生《い》き残《のこ》りだぞ」

「おじいさん、こんど会《あ》うにはどうしたらいい？」

「わしのことなんか、ここを出《で》れば忘《わす》れちまうさ」

「そんなことないよ。きっと、もう一度《いちど》会《あ》いたくなると思《おも》うんだ」

英治《えいじ》は、ほんとうにそう思《おも》った。

「嬉《うれ》しいことを言《い》ってくれるな。しかし、わしには、あすのことはわからん。もし縁《えん》があれば、町《まち》のどこかで会《あ》うこともあるだろう。そのときは、わしの方《ほう》からは、けっして声《こえ》をかけぬから安心《あんしん》するがいい」

「どうしてさぁ」

「浮浪者《ふろうしゃ》から声《こえ》をかけられたら迷惑《めいわく》するだろう。きまってるじゃないか」

「そんなことないよ」

「その話《はなし》はもういいから、持《も》ち場《ば》につけ。外《そと》の奴《やつ》に、五人《ごにん》しかいないとわかったらまずいだろう」

瀬川《せがわ》は、突《つ》き放《はな》すように言《い》った。

「じゃ、おれ見張《みは》り台《だい》に上《のぼ》るぜ」

英治《えいじ》は、見張《みは》り台《だい》に向《む》かって駆《か》け出《だ》した。

「安永《やすなが》も上《のぼ》れよ。おれと中尾《なかお》は、屋上《おくじょう》にスピーカーをセットする」

「おれは？」

立石《たていし》が相原《あいはら》に言《い》った。

「花火《はなび》の具合《ぐあい》を見《み》てくれよ」

「わかった」

立石《たていし》も駆《か》け出《だ》した。

見張《みは》り台《だい》に上《のぼ》った英治《えいじ》は、ふり向《む》いて広場《ひろば》を見《み》た。それまで、何人《なんにん》かがいつもそこで、作業《さぎょう》したり、遊《あそ》んだり、水浴《みずあ》びしたりしていたものだった。それがいまは、夏《なつ》の陽光《ようこう》の下《もと》で皓々《しろじろ》と輝《かがや》き、ひっそりと静《しず》まりかえった空間《くうかん》である。

「なんだか、淋《さび》しくなっちゃったな」

安永《やすなが》は、感傷的《かんしょうてき》になったみたいだ。

「うん」

英治《えいじ》は、安永《やすなが》が英治《えいじ》と同《おな》じことを考《かんが》えていたことに、親近感《しんきんかん》をおぼえた。そのとき、肩《かた》に小《ちい》さな石《いし》があたった。上《うえ》を見上《みあ》げると、隣《となり》のビルの屋《おく》上《じょう》に日比野《ひびの》と天野《あまの》がいた。

「あれ、見《み》ろよ」

英治《えいじ》は、安永《やすなが》の顔《かお》をそちらに向《む》けた。二人《ふたり》は、指《ゆび》で輪《わ》をつくっている。準備《じゅんび》OK《オーケー》という合図《あいず》だ。

わかったというように、小《ち》さく手《て》を振《ふ》った。

英治《えいじ》は腕時計《うでどけい》を見《み》た。十時《じゅうじ》まで、あと十分《じっぷん》だ。

突然《とつぜん》、四階《よんかい》のスピーカーから〝炎《ほのお》のファイター〟が流《なが》れはじめた。最後《さいご》の放送《ほうそう》は、スピーカーからも流《なが》れるようになっているのだ。

「ただいまから解放区放送《かいほうくほうそう》をはじめる。海水浴《かいすいよく》と山《やま》へ行《い》かない諸君《しょくん》は、きっと聞《き》いていてくれると思《おも》う。きのうの生中継《なまちゅうけい》はおもしろかったろう？　あと十分《じっぷん》すると、もっとおもしろい実況《じっきょう》を聞《き》かせるから期待《きたい》してくれよ。実況担当《じっきょうたんとう》はおれじゃない。例《れい》の過激《かげき》なアナウンサー天野《あまの》だ」

中尾《なかお》は、隣《となり》のビルの屋上《おくじょう》に向《む》かってキューを出《だ》した。

『はーい。お待《ま》たせ。おれが過激《かげき》なアナウンサー古館《ふるたち》、じゃない天野《あまの》だ。おれはまだ十二歳《じゅうにさい》、あんなに古《ふる》くはない。いまおれは、決死《けっし》の覚悟《かくご》でマイクをにぎっているんだぜ。

なぜだって？　きまってるじゃんか、もうすぐここへ情《なさ》け容赦《ようしゃ》のないプロのテロリスト集団《しゅうだん》が攻《せ》め寄《よ》せてくるんだ。奴《やつ》らの目的《もくてき》は、おれたちの首《くび》を狩《か》ることだ。つまりヘッドハンターさ。恐怖《きょうふ》と戦慄《せんりつ》の大殺戮《だいさつりく》だ。

おれは、その修羅場《しゅらば》を最後《さいご》の瞬間《しゅんかん》まで全部《ぜんぶ》放《ほう》送《そう》するぜ。おれの首《くび》がついている間《あいだ》はな。
おおッと、そう言《い》っているうちに、パトカーの姿《すがた》が見《み》えました。いよいよ、ここ荒川《あらかわ》と隅田川《すみだがわ》の二《ふた》つの川《かわ》にはさまれた、大都会《だいとかい》のエアポケットにおいて、おとなと子《こ》どもの凄絶《せいぜつ》な死闘《しとう》の幕《まく》が、切《き》って落《お》とされようとしているのであります』
英治《えいじ》は、首《くび》を突《つ》き出《だ》して道路《どうろ》を見《み》おろした。パトカーと輸送車《ゆそうしゃ》がかなり離《はな》れたところに停《と》まって、警官《けいかん》がばらばらと降《お》りてくる。

「なんだ、機動隊《きどうたい》じゃねえのか」

安永《やすなが》は、自尊心《じそんしん》を傷《きず》つけられたのか、むっとした表情《ひょうじょう》をした。

屋上《おくじょう》のスピーカーががなり立《た》てている。

『おおぉッと、警官《けいかん》が降《お》りてきます。一《いち》、二《に》、三《さん》、四《し》……。続々《ぞくぞく》と出《で》てきます。整列《せいれつ》しました。解放《かいほう》区《く》に向《む》かって進《すす》んできます。それはまさしく、ボルネオの奥地《おくち》にいるとかいう首狩《くびか》り族《ぞく》、ヘッドハンターの行進《こうしん》であります。その目《め》はぎらぎらと光《ひか》り、口《くち》は、血《ち》を求《もと》めて舌《した》なめずりしております。まさに死神《しにがみ》。もう正門《せいもん》まで一〇《じゅう》メートルもありません。おおッと、一隊《いったい》は正門《せいもん》に、残《のこ》りは解放区《かいほうく》のまわりを取《と》り囲《かこ》みました。猫《ねこ》の子《こ》一匹《いっぴき》逃《に》がさない覚悟《かくご》のようであります。血《ち》で血《ち》を洗《あら》う真昼《まひる》の惨《さん》劇《げき》が、いままさにはじまろうとしています』

警官《けいかん》が正門《せいもん》の前《まえ》に一列《いちれつ》に並《なら》んだ。隊長《たいちょう》らしい男《おとこ》が、ハンドマイクを手《て》にした。

「諸君《しょくん》、いますぐ、門《もん》をあけて出《で》てきなさい。われわれは、諸君《しょくん》を逮捕《たいほ》しにきたのではない。すぐ出《で》てきなさい。十数《じゅうかぞ》えるだけの時間《じかん》をあたえる。それでも出《で》てこない場合《ばあい》は、ただちに突入《とつにゅう》する」

相原《あいはら》と中尾《なかお》が見張《みは》り台《だい》の下《した》にやってきた。降《お》りろと手《て》で合図《あいず》している。英治《えいじ》と安永《やすなが》は下《した》に降《お》りた。

立石《たていし》もやってきた。

「一《ワン》、二《ツー》、三《スリー》……」

外《そと》で、数《かず》を数《かぞ》える声《こえ》が聞《き》こえてきた。

「みんな、マンホールに入《はい》れ」

瀬川《せがわ》がやってきて言《い》った。

「花火《はなび》は、わしが点火《てんか》する」

「十《テン》まで数《かぞ》えたらすぐだぜ」

「わかっとる」

「点火《てんか》したら、すぐマンホールへ来《き》てよ」

うなずいた瀬川《せがわ》は、ゆっくりと正門《せいもん》に近《ちか》づく。

口火《くちび》はその下《した》にあるのだ。

「七《セブン》、八《エイト》、九《ナイン》……」

数《かず》を数《かぞ》えるペースがさらにゆっくりしてきた。

屋上《おくじょう》のスピーカーからは、天野《あまの》が放送《ほうそう》をつづけている。実際《じっさい》は、向《む》こうのビルでやっているのだが、電波《でんぱ》を飛《と》ばしているので、屋上《おくじょう》で放送《ほうそう》しているように見《み》える。

『カウントが数《かぞ》えられました。解放区《かいほうく》の中《なか》はしんと静《しず》まりかえって、物音一《ものおとひと》つ聞《き》こえません。戦《たたか》うか、降参《こうさん》するか議論《ぎろん》しているのでしょうか。しかし、もう時間《じかん》はないっ。カウントアウトだっ。門《もん》は開《ひら》かない。彼《かれ》らは戦《たたか》うことを決意《けつい》したのか……。あ、十《テン》。遂《つい》にカウントは十《テン》を数《かぞ》えられました。おおぉッと。正門《せいもん》に火《ひ》があがりました。それは、ジェット機《き》よりも速《はや》く、塀《へい》の上《うえ》を走《はし》ります。この奇襲《きしゅう》、猪木《いのき》の延髄斬《えんずいぎ》りくらいの効果《こうか》はあったようです。警官《けいかん》は、一歩《いっぽ》、二歩《にほ》しりぞきました。顔《かお》が蒼《あお》い。みんなびびっている。隊長《たいちょう》は怒《おこ》っています』

英治《えいじ》たち五人《ごにん》は、塀《へい》の上《うえ》を走《はし》る花火《はなび》を確認《かくにん》してからマンホールに入《はい》った。瀬川《せがわ》が走《はし》ってくる。マンホールに引《ひ》きずりこんだ。ふたを閉《し》めた。中《なか》は真《しん》の闇《やみ》である。瀬川《せがわ》の荒《あら》い息《いき》が耳《みみ》もとでした。だれがつけたか、懐中電灯《かいちゅうでんとう》の丸《まる》い明《あか》りが足《あし》もとを照《て》らした。

「子《こ》どもたちは、警官隊《けいかんたい》の呼《よ》びかけをまったく無《む》視《し》し、かえって仕掛《しか》け花火《はなび》に火《ひ》をつけて挑発《ちょうはつ》しました。あッ、ブルドーザーがやってきました。これで正門《せいもん》をこわすつもりのようです。みなさんお聞《き》きでしょうか。隊長《たいちょう》はなおも出《で》てこいと言《い》っておりますが、応《こた》えはまったくありません。ブルドーザーが進《すす》みはじめました。いよいよ安田《やすだ》砦《とりで》の攻防戦《こうぼうせん》が再現《さいげん》されようとしております。子《こ》どもたちは、いったいどんな武器《ぶき》で戦《たたか》おうというのでありましょうか。ブル

ドーザーが門《もん》に突《つ》っ込《こ》みます。一度《いちど》、二度《にど》、門《もん》はもろくもこわれました。内側《うちがわ》には、机《つくえ》やロッカー、鉄《てつ》パイプ、トタン板《いた》などガラクタがうず高《たか》く積《つ》みあげてあります。これが、バリケードのつもりなのでしょうか。ようやく、解放区《かいほうく》の内部《ないぶ》が見《み》えてきました。しかし、子《こ》どもたちの姿《すがた》はどこにも見《み》当《あ》たりません」

矢場《やば》は、ここまで喋《しゃべ》って一息《ひといき》ついた。屋上《おくじょう》のスピーカーからは、相変《あいか》わらず過激《かげき》な放送《ほうそう》がつづいている。あれを早《はや》く排除《はいじょ》してくれなくては、こっちがまったく食《く》われてしまう。

近《ちか》ごろのガキときたら、素人《しろうと》ばなれしたうまさだ。油断《ゆだん》も隙《すき》もない。

「子《こ》どもたちは、いったいどこにいるのでしょう。もしかしたら、どこかで集団自決《しゅうだんじけつ》でもしているのではないでしょうか。」

捜索《そうさく》する警官《けいかん》の表情《ひょうじょう》にも、ようやく焦《あせ》りと不安《ふあん》の色《いろ》が見《み》えはじめてきました。

母親《ははおや》たちが、警官《けいかん》の制止《せいし》を振《ふ》り切《き》って、中《なか》

へ入《はい》って行《い》きます。みんな口々《くちぐち》に、わが子《こ》の名《な》前《まえ》を呼《よ》びつづけていますが、どこにもその姿《すがた》は見《み》当《あ》たりません。聞《き》こえるのは屋上《おくじょう》の解放区《かいほうく》放送《ほうそう》だけです。残《のこ》すところは屋上《おくじょう》だけです。警官《けいかん》が非《ひ》常《じょう》階段《かいだん》を駆《か》け上《あ》がりはじめました」

『おれたちの親《おや》も、いまは堕落《だらく》したけど、若《わか》いころにはけっこうかっこいいことやったんだよな。おおッと、もうポリ公《こう》の姿《すがた》が見《み》えてきた。では、解放区放送《かいほうくほうそう》はこれで中止《ちゅうし》して、おれは消《き》えるぜ。バイバイ』

「テレビをごらんのみなさん。どうやら解放区放《かいほうくほう》送《そう》は終《お》わったようです。最後《さいご》に東大全共闘《とうだいぜんきょうとう》を持《も》ち出《だ》すあたり、連中《れんちゅう》もやるじゃないですか。ところで、解放区《かいほうく》に入《はい》って行《い》った警官《けいかん》は、まだ子《こ》どもたちを見《み》つけていないようです。あッ、レポーターが帰《かえ》ってきましたので報告《ほうこく》を聞《き》きます。

どうでした？　井上《いのうえ》さん」

矢場《やば》は、レポーターにマイクを向《む》けた。

「いません」

「いないって、いまのいままで放送《ほうそう》してたじゃないですか？」

「そうなんです。ところが屋上《おくじょう》に上《あ》がってみると、あるのはスピーカーだけでした」

「どこかから脱出《だっしゅつ》したんでしょう？」

「いいえ、あそこは脱出不可能《だっしゅつふかのう》の密室《みっしつ》なのです」

「そんなばかな……」

「矢場《やば》さん、ぼくはいま、あることをふっと思《おも》い出《だ》したんです」

「なんでしょうか？」

「ハーメルンの笛吹《ふえふ》き男《おとこ》の話《はなし》ですよ」

「笛吹《ふえふ》き男《おとこ》が、町中《まちじゅう》の子《こ》どもたちをつれて、どこかへ行《い》ってしまう話《はなし》ですね？」

「そうです。あれは中世《ちゅうせい》のドイツで実際起《じっさいお》きた話《はなし》らしいですが、いまわれわれは二十世紀《にじゅっせいき》の東京《とうきょう》で、同《おな》じ体験《たいけん》をしているんです」

「子《こ》どもたちは、どこへ行《い》ったんですか？」

「四次元《よじげん》の世界《せかい》だと思《おも》います」

「四次元《よじげん》？」

「子《こ》どもたちの姿《すがた》を、われわれは二度《にど》と見《み》ること
はできないかもしれません」

「もしそうだったら、えらいことじゃないです
か？」

「そうです。えらいことです。むかしでいう神隠《かみかく》

しです。おそらく、こういう現象《げんしょう》は、これからも地球上《ちきゅうじょう》のどこかで起《お》こるんじゃないでしょうか？」

「子《こ》どもがつぎつぎといなくなったら、いったい世《よ》の中《なか》はどうなるんですか？」

「おとなだけの世界《せかい》……。考《かんが》えるだけでも寒気《さむけ》がしてきます」

「私《わたし》たちはどうすればいいんですか？」

「矢場《やば》さん、あなたお子《こ》さんをお持《も》ちですか？」

「いますよ。小学五年生《しょうがくごねんせい》の娘《むすめ》が一人《ひとり》」

「私《わたし》も、小学二年《しょうがくにねん》の坊主《ぼうず》がいます。もし、お子《こ》さんがいなくなったら、と考《かんが》えたことがありますか？」

「とんでもない。そんなこと、考《かんが》えただけで頭《あたま》がおかしくなります」

矢場《やば》は、はげしく首《くび》を振《ふ》った。

「そうでしょう。親《おや》だったら、子《こ》どもの幸《しあわ》せをねがわない者《もの》はいないと思《おも》います。しかし、実《じつ》はわれわれは、子《こ》どもを幸《しあわ》せにしようとしながら、不《ふ》幸《こう》にしているという、思《おも》いちがいをしているのではないでしょうか？」

「それ、どういうことですか？」

「われわれは、子《こ》どもを〝いい子《こ》〟にしようとしていきます。われわれのいう〝いい子《こ》〟とはなんでしょうか？　それは、おとなのミニチュアですよ。つまり、おとなになったとき、社会《しゃかい》の一員《いちいん》として、役《やく》に立《た》つように仕込《しこ》むのが教育《きょういく》なのです」

「たしかに、それが期待《きたい》される人間像《にんげんぞう》かもしれません」

「これは、おとな優先《ゆうせん》の発想《はっそう》です。身勝手《みがって》とは思《おも》いませんか？　われわれは、一度《いちど》だって、子《こ》どもの目《め》で世界《せかい》を見《み》たことがあるでしょうか？　子《こ》どもは、おとなの囚人《しゅうじん》ではないのです」

「わかりますよ。あなたの言《い》いたいことは。しかし……」

「神《かみ》は、だからわれわれわれから子《こ》どもを奪《うば》われたのです。いまとなっては、悔《く》い改《あらた》め、神《かみ》に祈《いの》るしかないでしょう」

母親《ははおや》たちの泣《な》き叫《さけ》ぶ声《こえ》が、解放区《かいほうく》に満《み》ち溢《あふ》れた。

「みなさん、これはまさに黙示録《もくしろく》の世界《せかい》です。祈《いの》りましょう。神《かみ》に……」

矢場《やば》はマイクをにぎりしめ、声《こえ》を限《かぎ》りに叫《さけ》んだ。

英治《えいじ》は、純子《じゅんこ》のくれたソフトクリームをなめながら、ぼんやりと川向《かわむ》こうの建物《たても の》を眺《なが》めていた。

河原《かわら》の草《くさ》の上《うえ》には、四十人《よんじゅうにん》の子《こ》どもたちが思《おも》い思《おも》いに腰《こし》をおろして、食《た》べたり喋《しゃべ》ったり笑《わら》ったりしている。

相原《あいはら》がやってきて、隣《となり》に腰《こし》をおろした。

「ここから見《み》ると、あそこが解放区《かいほうく》だったなんて、夢《ゆめ》みたいだな」

「いまごろ、まだおれたちを捜《さが》してるかな？」

「捜《さが》してるさ」

相原《あいはら》は、いたずらっぽい目《め》をした。

「焦《あせ》ってるわよ。みんないなくなって……」

純子《じゅんこ》が言《い》った。英治《えいじ》は急《きゅう》におかしくなった。するると、笑《わら》いがつぎからつぎと吹《ふ》き出《だ》してきて止《と》まらなくなった。

相原《あいはら》も笑《わら》い出《だ》した。純子《じゅんこ》も笑《わら》っている。あッという間《ま》に全員《ぜんいん》に伝染《でんせん》して笑《わら》い出《だ》した。

草《くさ》の上《うえ》をごろごろ転《ころ》がる者《もの》もいる。立《た》ち上《あ》がって踊《おど》り出《だ》す者《もの》もいる。

笑《わら》い声《ごえ》は、川面《かわも》をゆっくりと流《なが》れてゆく。やがてそれは、太平洋《たいへいよう》に出《で》て空《そら》と一《ひと》つになるのだ。

自転車《じてんしゃ》に乗《の》った西脇《にしわき》が、堤防《ていぼう》に姿《すがた》をあらわした。

「みんな無事《ぶじ》?」

「これさ」

英治《えいじ》は、V《ブイ》サインをして見《み》せた。西脇《にしわき》はそこへ自転車《じてんしゃ》を倒《たお》すと、転《ころ》げそうになりながら、堤防《ていぼう》を駆《か》け降《お》りてきた。

「よかったわね。いま解放区《かいほうく》は大騒《おおさわ》ぎよ」

「ほんとかい？」

西脇《にしわき》に、みんなの視線《しせん》が集《あつ》まった。

「ほんとよ。子《こ》どもたちが、ブラックホールに呑《の》みこまれちゃったって」

「やったあ」

火《ひ》がついたように笑《わら》い出《だ》した。

「みんな、悲《かな》しがって泣《な》いてるのよ」

西脇《にしわき》が言《い》ったとたん、笑《わら》いは大《おお》きな渦《うず》になった。

英治《えいじ》は、ただわけもなく駆《か》け出《だ》したくなった。

川岸《かわぎし》まで行《い》って、解放区《かいほうく》に向《む》かって手《て》を振《ふ》った。

「おーい、解放区《かいほうく》ぅ。バイバイ」

これ以上《いじょう》は出《だ》せない声《こえ》で叫《さけ》んだ。


この作品《さくひん》は、1985年《ねん》4月《がつ》、角川文庫《かどかわぶんこ》から刊行《かんこう》された『ぼくらの七日間戦争《なのかかんせんそう》』をもとに、漢字《かんじ》にふりがなをふり、一部《いちぶ》を書《か》きかえて読《よ》みやすくしたものです。

全共闘《ぜんきょうとう》について

1968〜1969年《ねん》にかけて、全国的《ぜんこくてき》に広《ひろ》がった学生運動《がくせいうんどう》。大学生《だいがくせい》が学生生活《がくせいせいかつ》や政治《せいじ》に対《たい》して、問題提起《もんだいていき》や社会運動《しゃかいうんどう》を行《おこな》いました。

著者《ちょしゃ》の宗田理《そうだおさむ》さんがポプラ社版《しゃばん》『ぼくらの七日《なのか》間戦争《かんせんそう》』あとがきで、以下《いか》のように書《か》いています。

……大学闘争《だいがくとうそう》があり、東大《とうだい》、日大《にちだい》を中心《ちゅうしん》とする全共闘運動《ぜんきょうとううんどう》は、1969年《ねん》1月《がつ》の東大安田《とうだいやすだ》

講堂攻防戦《こうどうこうぼうせん》にいたって、一挙《いっきょ》に頂点《ちょうてん》に登《のぼ》りつめた。英治《えいじ》や相原《あいはら》はその世代《せだい》の二世《にせい》にあたる。

あのころ権力《けんりょく》に立《た》ち向《む》かった、親《おや》たちの青春《せいしゅん》時代《じだい》はかっこうよかった。

しかし、今《いま》はどうだろう。

あんなにも燃《も》えた青年《せいねん》たちは、自分《じぶん》の子《こ》どもを育《そだ》てるようになると、若《わか》いころの情熱《じょうねつ》はすっかり影《かげ》をひそめ、体制《たいせい》に組《く》み込《こ》まれ、高度成長《こうどうせいちょう》の波《なみ》に乗《の》った。全共闘運動《ぜんきょうとううんどう》はまるで過《す》ぎてしまったインフルエンザみたいに、あるいは悪夢《あくむ》みたいに忘れられていった。……

『ぼくらの七日間戦争《なのかかんせんそう》』は、その後《ご》、映画化《えいがか》やアニメ化《か》などがされて、子《こ》どもたちを中心《ちゅうしん》に長《なが》く読《よ》みつがれています。すでに全共闘《ぜんきょうとう》などの学生運動《がくせいうんどう》はありませんが、時代《じだい》をこえ、子《こ》どもたちの立場《たちば》から見《み》た大人《おとな》たち、そして社会《しゃかい》の姿《すがた》を描《えが》いた作品《さくひん》として、これからも読《よ》みつがれていく作品《さくひん》だと思《おも》います。

体育祭《たいいくさい》』『ぼくらの太平洋戦争《たいへいようせんそう》』『ぼくらの一日校長《いちにちこうちょう》』『ぼくらのいたずらバトル』『ぼくらの㊙学園祭《マルひがくえんさい》』『ぼくらの無人島《むじんとう》戦争《せんそう》』『ぼくらのハイジャック戦争《せんそう》』『ぼくらの消《き》えた学校《がっこう》』『ぼくらの卒業《そつぎょう》いたずら大作戦《だいさくせん》　上《じょう》下《げ》』『ぼくらの大脱走《だいだっそう》』『ぼくらのミステリー列車《れっしゃ》』『ぼくらの地下迷路《ちかめいろ》』『ぼくらのオンライン戦争《せんそう》』『ぼくらの東京革命《とうきょうかくめい》』（角川《かどかわ》つばさ文庫《ぶんこ》）など。

はしもとしん／絵《え》

和歌山県《わかやまけん》生《う》まれ。角川《かどかわ》つばさ文庫《ぶんこ》「ぼくら」「2A《エー》」シリーズのイラストを担当《たんとう》。

宗田《そうだ》　理《おさむ》／作《さく》

東京都《とうきょうと》生《う》まれ、少年期《しょうねんき》を愛知県《あいちけん》ですごす。『ぼくらの七日間戦争《なのかかんせんそう》』をはじめとする「ぼくら」シリーズは中高生《ちゅうこうせい》を中心《ちゅうしん》に圧倒的人気《あっとうてきにんき》を呼《よ》び大《だい》ベストセラーに。

著作《ちょさく》に『ぼくらの天使《てんし》ゲーム』『ぼくらの大冒険《だいぼうけん》』『ぼくらと七人《しちにん》の盗賊《とうぞく》たち』『ぼくらの学校戦争《がっこうせんそう》』『ぼくらのデスゲーム』『ぼくらの南《みなみ》の島戦争《しませんそう》』『ぼくらの㊎バイト作戦《さくせん》』『ぼくらのC計画《クリーンけいかく》』『ぼくらの怪盗戦争《かいとうせんそう》』『ぼくらの㊛会社戦争《ブラックかいしゃせんそう》』『ぼくらの修学旅行《しゅうがくりょこう》』『ぼくらのテーマパーク決戦《けっせん》』『ぼくらの

大きな文字の角川つばさ文庫
ぼくらの七日間戦争 ❸/3
宗田 理・作
はしもとしん・絵

2024年3月1日初版発行

［発行所］
有限会社 読書工房
〒171-0031
東京都豊島区目白2-18-15
目白コンコルド115
電話：03-6914-0960
ファックス：03-6914-0961
Eメール：info@d-kobo.jp
https://www.d-kobo.jp/

［印刷・製本］
セルン株式会社

ISBN978-4-902666-3?-?　N.D.C. 913　340p　21cm